COMO
FAZÍAMOS
SEM
...

AVENTURAS NA HISTÓRIA

COMO FAZÍAMOS SEM...

por

Bárbara Soalheiro

ilustrações

Negreiros

21ª impressão

PANDA BOOKS

© Aventuras na História

Direção editorial
Marcelo Duarte
Patth Pachas
Tatiana Fulas

Gerente editorial
Vanessa Sayuri Sawada

Assistentes editoriais
Henrique Torres
Laís Cerullo

Assistente de arte
Samantha Culceag

Capa, projeto gráfico e edição de imagens
Juliana Vidigal

Imagens
Abril Dedoc

Revisão
Cristiane Goulart
Luicy Caetano de Oliveira
Alexandra Costa da Fonseca

Impressão
Corprint

CIP – BRASIL. CATALOGAÇÃO NA FONTE
SINDICATO NACIONAL DOS EDITORES DE LIVROS, RJ

Soalheiro, Bárbara.
Como fazíamos sem... / Bárbara Soalheiro. – 1. ed. – São Paulo: Panda Books, 2006. 144 pp.

ISBN: 978-85-7695-028-8

1. Usos e costumes. 2. Curiosidades e maravilhas.

05-4038   CDD: 390
            CDU: 39

2025
Todos os direitos reservados à Panda Books.
Um selo da Editora Original Ltda.
Rua Henrique Schaumann, 286, cj. 41
05413-010 – São Paulo – SP
Tel./Fax: (11) 3088-8444
edoriginal@pandabooks.com.br
www.pandabooks.com.br
Visite nosso Facebook, Instagram e Twitter.

FSC
www.fsc.org
MISTO
Papel | Apoiando
uma gestão florestal
responsável
FSC® C121203

Nenhuma parte desta publicação poderá ser reproduzida por qualquer meio ou forma sem a prévia autorização da Editora Original Ltda. A violação dos direitos autorais é crime estabelecido na Lei nº 9.610/98 e punido pelo artigo 184 do Código Penal.

Para Tomás.
Porque até dá para viver sem facas, fósforos, avião ou telefone.
Mas sem abraços apertados seria impossível.

Apresentação 8

ALIMENTAÇÃO
Água limpa 14
Fósforos 18
Geladeira 22
Talheres 26

COMUNICAÇÃO
Avião 32
Correio 36
Internet 40
Telefone 44
Televisão 48

HABITAÇÃO
Elevador 54
Móveis 58
Vaso sanitário 62
Ventilador e Calefação 66

ROUPAS E ACESSÓRIOS
Cuecas e Calcinhas 72
Ferro elétrico 76
Máquina de costura 80
Óculos 84
Sabão e Máquina de lavar 88

SAÚDE E HIGIENE
Anestesia 94
Banho 98
Escova de dentes 102
Papel higiênico 106
Remédios 110

SOCIEDADE
Cemitério 116
Dinheiro 120
Divórcio 124
Energia elétrica 128
Escola 132
Relógio 136
Sobrenome 140

Bibliografia 144

AH, ESSA DELICIOSA CULTURA INÚTIL!

Q U E M é que não adora armazenar curiosidades que, se não são úteis para aumentar nossos salários, são tão indispensáveis quanto as piadas na hora daqueles bate-papos com os amigos. Sabe a hora que falta assunto e pinta um silêncio no meio da conversa ou aqueles dez segundos em que ninguém manda mensagem no MSN e parece que acabou o assunto?

Aí vem algum engraçadinho com a "última" piada que você já ouviu há vinte anos. E, se você é daqueles que não consegue sacudir a plateia às gargalhadas, esse é o momento de sacar do bolso da memória alguma curiosidade histórica que funciona bem mais do que a melhor das anedotas.

Exemplo: logo que o gaiato acaba de contar aquela dos presidentes dos Estados Unidos, da França e do Brasil reunidos num avião em perigo, você espera as risadas diminuírem e ataca:

— Vocês sabem por que aquele bicho saltador da Austrália se chama canguru?

O ambiente cai imediatamente num breve silêncio carregado de interrogações e mudos comentários do tipo "Como?", "Que negócio é esse de canguru numa hora dessas?" ou "Esse cara está viajando!".

Deixe o silêncio transformar-se de surpresa em curiosidade e volte à carga:

– Logo atrás dos conquistadores ingleses da Austrália, vinha sempre um linguista tipo Professor Higgins para tentar compreender a língua nativa. Para isso, ele pegava um aborígine e saía com ele, apontando para plantas, objetos e animais, e perguntando (em mímica, é claro!): "Como é o nome disso aí?". Foi o que aconteceu naquele continente distante: o inglês apontou para o animal saltitante e o aborígine respondeu "Cang-u-uru". O linguista anotou aquele som em caracteres fonéticos no seu caderninho e assim o animal passou a chamar-se canguru...

Na pausa que se segue, os ouvintes ficam certos de que você está mesmo maluco e perguntam, meio na gozação:

– E daí?

– Daí que, mais tarde, quando a língua daquele povo australiano foi mais bem estudada, descobriu-se que o nativo havia dito: "Eu-não--sei!".

Funciona, garanto a você que faz o maior efeito. Melhor do que piada. Quando, por exemplo, alguém perguntar as horas, você vem com esta, para adiar o fim da festa:

– Vocês sabem por que os ingleses são tão pontuais e os brasileiros chegam sempre atrasados? (Silêncio etc. e tal) Isso vem da invenção do relógio portátil, aquele cebolão que os homens carregavam no bolso do colete. Poder tornar-se dono do tempo foi uma revolução na Europa. Mas esses relógios custavam caro e muitos homens usavam somente uma vistosa corrente atravessada de um bolso ao outro do colete só para fazer todos pensarem que eles tinham dinheiro para comprar a cobiçada novidade. Amigos faziam até vaquinha para comprar um relógio em sociedade e cada um ficava de posse dele em dias combinados (Tá bom, hoje você sai com o relógio, mas no sábado sou eu, hein?). Na Inglaterra, logo a posse de um relógio tornou-se símbolo de *status*, de afluência, e passava a ser vergonhoso alguém não possuir um. Por isso, se um cavalheiro chegava adiantado ou atrasado a algum compromisso, era certo que os esnobes olhariam para ele com aquele ar de quem está pensando: "Hum... esse daí não passa de um pobretão... Nem tem relógio!".

– E por que os brasileiros são atrasados?

– Pela mesma razão. Por aqui e em todos os países católicos o tempo não podia ser controlado por ninguém; só pela Igreja. Assim, todo mundo só podia ficar sabendo a hora ao ouvir o toque dos sinos. E os ricos passaram então a atrasar-se propositadamente para todo mundo ficar sabendo que eles eram poderosos e livres do controle da Igreja. Atrasar-se era fazer todo mundo "esperar pela pessoa mais importante". Por causa disso, nenhuma noiva que se preza chega na hora marcada para o casamento!

Inútil saber disso? Mas que inutilidade deliciosa! A Bárbara é ainda mais apaixonada por essas curiosidades do que eu: ela coleciona fanaticamente cada pequena explicação de almanaque, cada razão para alguma coisa ser isso ou aquilo, cada efeito que alguma nova invenção provocou na sociedade, cada pérola que, depois de ler este livro, você vai superar qualquer contador de piadas velhas. Eu, por exemplo, uso o meu estoque para embasbacar as minhas netinhas!

Ah, como eu adorei ficar sabendo por que são sempre mulheres as telefonistas e as operadoras de telemarketing, especialistas em gerundismo, que sempre nos dizem "vou estar passando o senhor para..." ou "quem deseja?".

Você não sabe por que essa tarefa pertence sempre às mulheres? Então leia este livro!

Pedro Bandeira

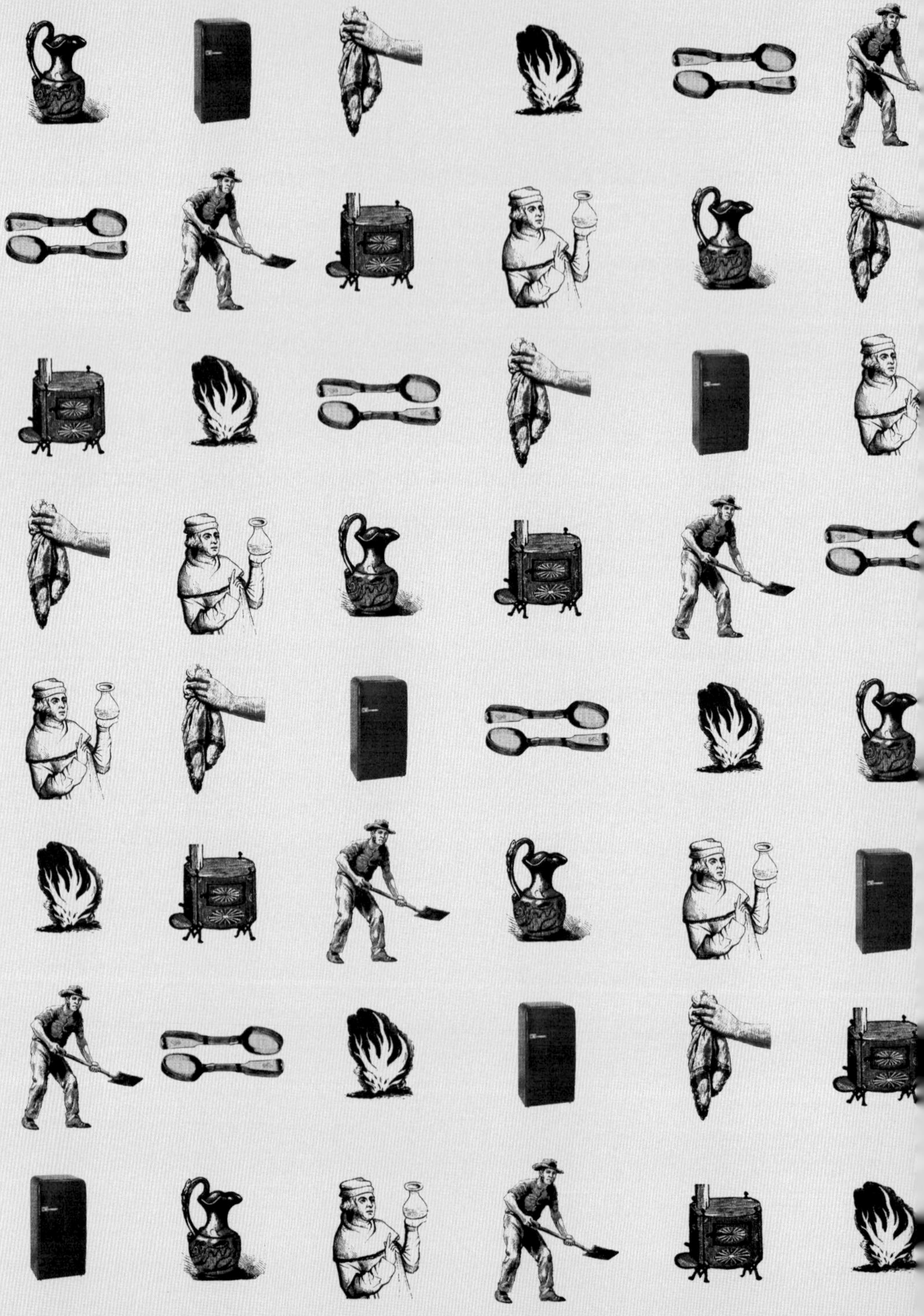

ALIMENTAÇÃO

Água limpa

Fósforos

Geladeira

Talheres

COMO FAZÍAMOS SEM...
ÁGUA LIMPA

HOJE a coisa é simples. Você abre o filtro – ou a garrafinha de água mineral – e mata a sede à vontade. Mas, para nossos antepassados, água costumava ser um problemão: um pequeno gole podia levar à morte. Isso porque, no começo dos tempos, os únicos instrumentos que os homens tinham para determinar se a água estava boa ou não para o consumo eram o olho e o paladar. E parecia óbvio que água clara e sem sabores estranhos era sinônimo de água limpa. O problema é que muitos organismos nocivos ao ser humano não mudam nem a cor nem o gosto da água. E lá se iam alguns de nossos antepassados morrendo por causa da sede, ou melhor, da falta de sede.

Que tal tirar o sal da água do mar fazendo buracos na areia?

ALIMENTAÇÃO

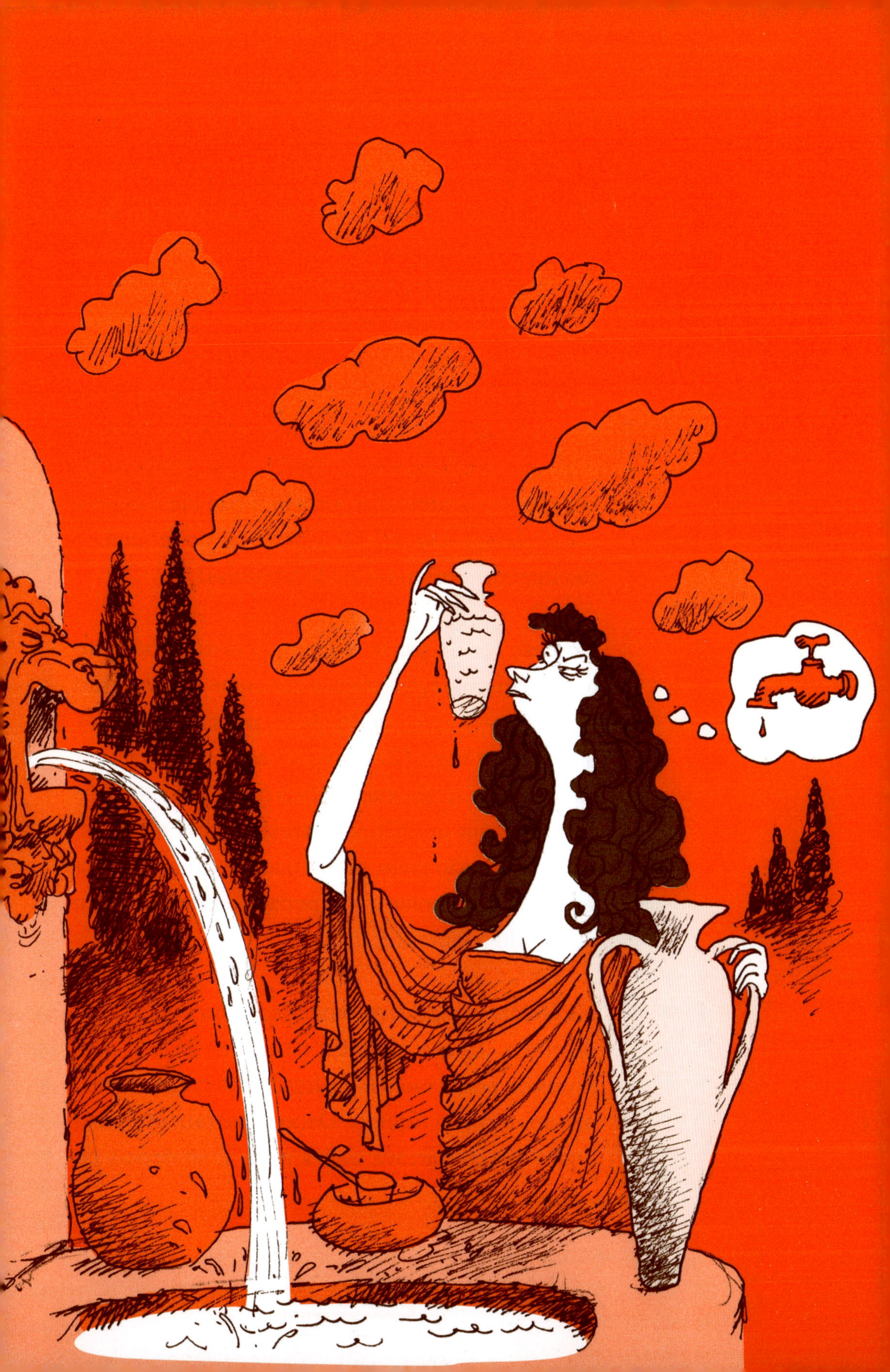

Uma solução foi substituir água por cerveja. Isso mesmo. Há mais ou menos oito mil anos – quando o homem ainda era nômade (ou seja, vivia vagando pelo mundo) e nem sempre encontrava água boa para beber –, alguém deixou alguns grãos de cevada ao relento e eles fermentaram naturalmente, por causa do contato com a umidade do ar. Algum corajoso experimentou o líquido que resultou da experiência acidental e percebeu que ele não provocava indigestão (afinal, o processo de fermentação impede a reprodução de bactérias).

Para não ter de passar o resto da história bêbado, o homem começou cedo a inventar sistemas de filtragem – alguns, aliás, bem parecidos com os que usamos hoje. Há registros mostrando que, em 2000 a.C., já se recomendava ferver a água ou fazê-la passar por um filtro de areia. Outras medidas, no entanto, não eram nada eficazes, como deixar a água no sol ou colocar um pedaço de ferro quente dentro do recipiente.

Na Grécia Antiga, a recomendação era beber água da chuva. Parece simples, né? Mas não era, não. Antes de poder molhar a garganta, os gregos costumavam ferver o líquido. Depois, usavam um pano limpo e o encharcava com a água. E só depois de retorcer o pano é que bebiam o que saísse dele. Depois de tanto trabalho, aposto que qualquer água era bem-vinda para matar a sede.

Mas o esforço dos gregos era fichinha perto do que sofreram os contemporâneos de Francis Bacon. Em 1627, o filósofo achava que era possível tirar o sal da água do mar fazendo buracos na areia. Pobre de quem experimentou. Nada dá mais sede do que um golinho de água salgada.

Quando finalmente alguém achava um rio ou nascente confiável, aparecia outro problema: transportar a água até as casas. Tinha quem decidisse ir morar perto da água, mas isso também podia significar problemas (como era difícil a vida de nossos antepassados, não?). Nos períodos de chuva, os rios podiam transbordar, alagando tudo em volta. A solução foi construir bombas que levavam água dos rios para poços próximos às vilas e cidades. Assim, era preciso ir até o poço toda vez que você tivesse sede. E, como todo mundo ia ao mesmo poço, o lugar se tornava uma espécie de ponto de encontro dos jovens – normalmente eles, por serem fortes, é que enchiam as vasilhas com água para a família. Muitos namoros e paqueras começavam ali, entre a subida e a descida do baldinho.

POÇO BRAVO!

Em 1854, um poço da rua Broad, na cidade de Soho, Inglaterra, fazia tanto sucesso que as pessoas vinham de outros bairros para pegar água ali, dizendo que o sabor era melhor. O que elas não sabiam é que o poço estava contaminado com o vibrião do cólera. Muita gente morreu até descobrirem a ligação entre a água e a doença, e o caso serviu de estopim para o país implantar os primeiros sistemas municipais de filtragem e distribuição de água.

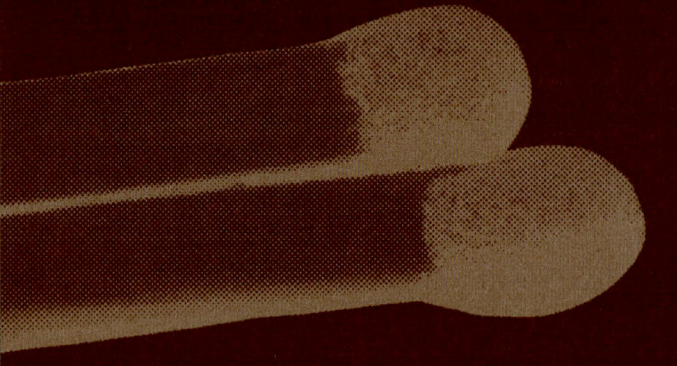

COMO FAZÍAMOS SEM...
FÓSFOROS

Tudo começou com o xixi de um alemão.

QUANDO sua mãe pedir sua ajuda para descascar batatas ou cebola, obedeça. Se você tivesse nascido no século XIX, o pedido poderia ser muito pior. Ela com certeza ia querer que você ajudasse a acender o fogo.

Antes de os fósforos serem inventados, acender qualquer coisa dava um trabalho pré-histórico. Usávamos a mesma técnica que os homens das cavernas: duas pedras e bastante paciência. Era preciso também um bocado de material seco (palha, feltro ou outro retalho). Depois de muito tempo esfregando as pedras bem perto desse material, que servia de pavio, alguma faísca prendia-se a ele

ALIMENTAÇÃO

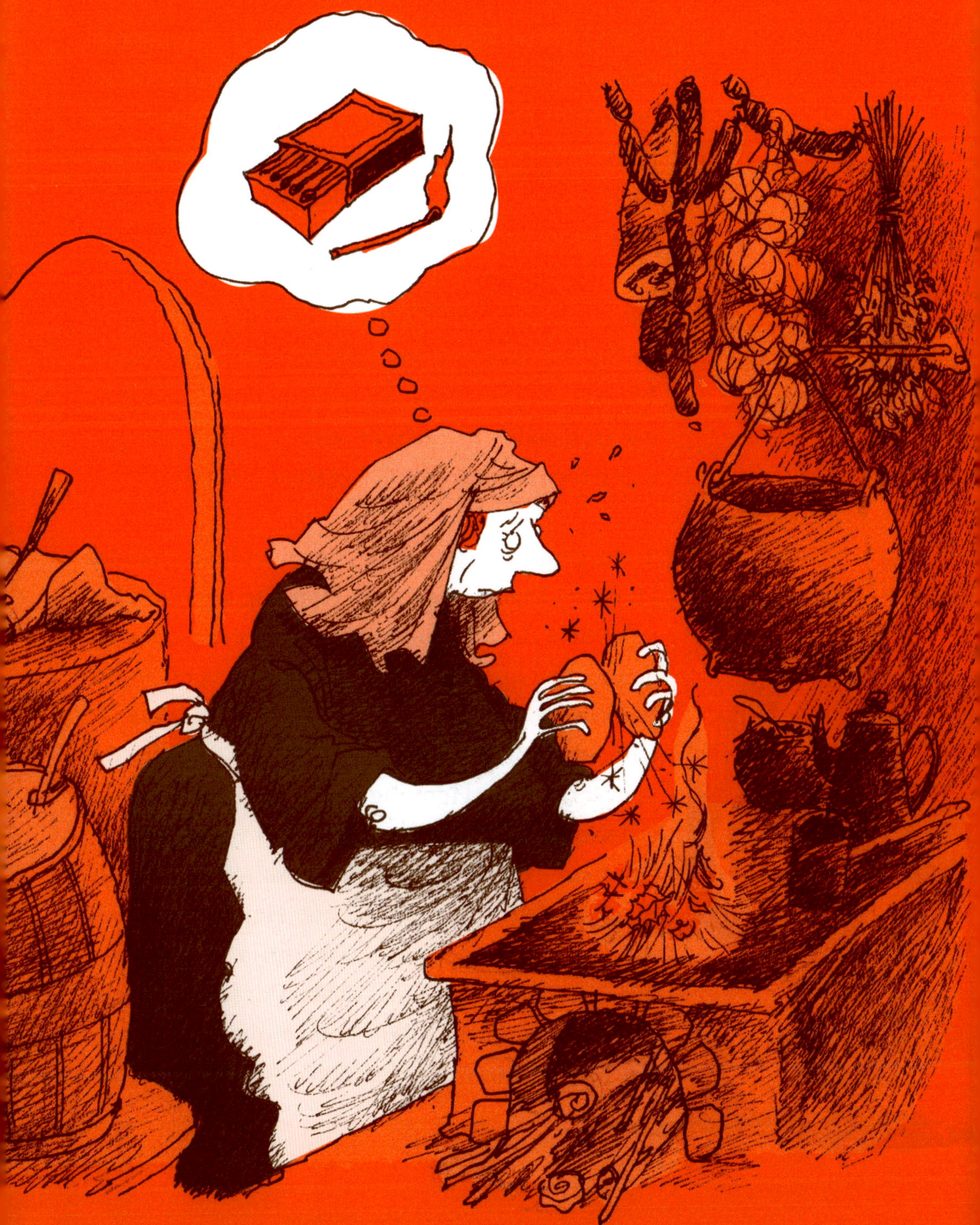

e fazia fogo. Mais tarde, os homens perceberam que esfregando uma pedra a um pedaço de ferro, fazer fogo ficava um pouco mais fácil. Para evitar tanto esforço a solução mais prática era guardar pedaços de carvão acesos (se eles apagassem, alguém ia pedir um pouco na casa do vizinho).

Olhando hoje, é difícil de acreditar que a caixinha de fósforos seja uma invenção tão moderna. Mas é. Moderna e trabalhosa. Muitos cientistas, de várias nacionalidades, tiveram de dar duro para transformar o fogo em um simples gesto de fricção.

Tudo começou em 1669 com o químico alemão Henning Brand e seu xixi. Henning era obcecado pela ideia de transformar qualquer coisa em ouro e percebeu que a cor amarelada da urina era muito parecida com a do metal precioso. Se as cores são parecidas, ele pensou, as duas coisas também devem ser! Assim, Henning encheu um balde de xixi e deixou alguns dias guardado para ver se endurecia. Essa experiência nojenta resultou num líquido cheio de placas brancas, que Henning resolveu esquentar para ver o que acontecia. É claro que não encontrou ouro, mas acabou descobrindo um elemento químico sólido branco que pegava fogo em contato com o ar (na época, ninguém entendia por que, mas hoje já sabemos que o oxigênio é capaz de provocar a combustão). A descoberta foi chamada de fósforo (que vem do latim *phosphoru* e quer dizer "que traz luz").

Muita gente começou a fazer testes com o elemento descoberto por Henning até que, em 1827, o químico inglês John Walker teve a ideia de misturar um pouquinho de fósforo a outros elementos e colar a mistura em palitos de madeira. Era só riscar o palito para produzir calor e, pronto!, lá estava o fogo. O problema é que bastava alguém balançar a caixinha ou deixá-la no sol por alguns minutos e tudo se incendiava.

A solução para fazer um palito seguro só veio em 1855, quando o sueco Johan Edvard Lundstrom usou um outro tipo de fósforo (vermelho), descoberto pouco tempo antes e menos perigoso que o seu antecessor. Lundstrom tomou ainda outra precaução para fazer um produto seguro: colocou o fósforo na lateral da caixinha, junto à lixa. A cabeça do palito passou a ser feita de algum agente oxidante (que fornece o oxigênio). A distribuição é assim até hoje, mas, apesar de não haver fósforo no palito, o nome "palito de fósforo" não parece que vai sair de moda tão cedo.

PRIMEIRO VEIO O ISQUEIRO

Sabe o material usado para fazer fogo antes da invenção do fósforo: pedra, um pedaço de ferro e um pouco de material seco? Pois o conjunto dessas coisas, reunidas num recipiente, era chamado de isqueiro — o material seco também podia ser chamado de isca, daí o nome. Até hoje, os isqueiros usam essa mesma lógica. A diferença é que a isca foi substituída pelo gás.

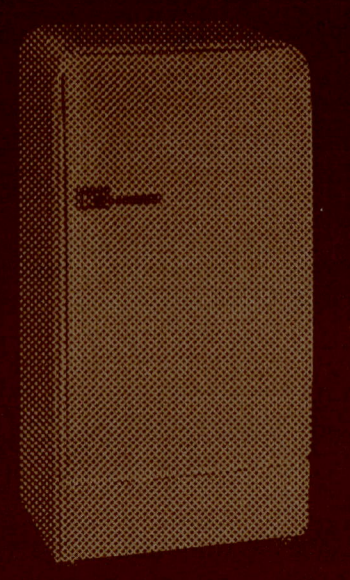

COMO FAZÍAMOS SEM...
GELADEIRA

ESTOCAR carnes e frutas era uma tarefa árdua até o século XIX. Na temperatura ambiente, quase todos os alimentos estragavam muito rápido. Se desperdiçar comida já é problema hoje em dia, imagine nos tempos em que os alimentos respeitavam a vontade da natureza, só crescendo durante as estações quentes do ano! Muitas vezes o que acontecia era uma abundância tremenda no verão e falta de comida no inverno.

Na Europa, para aumentar a validade dos alimentos, as pessoas salgavam as carnes (o sal ajuda a impedir a proliferação de micro-organismos), secavam as frutas e deixavam tudo em um quartinho

Umas das técnicas era encher um buraco com neve.

ALIMENTAÇÃO

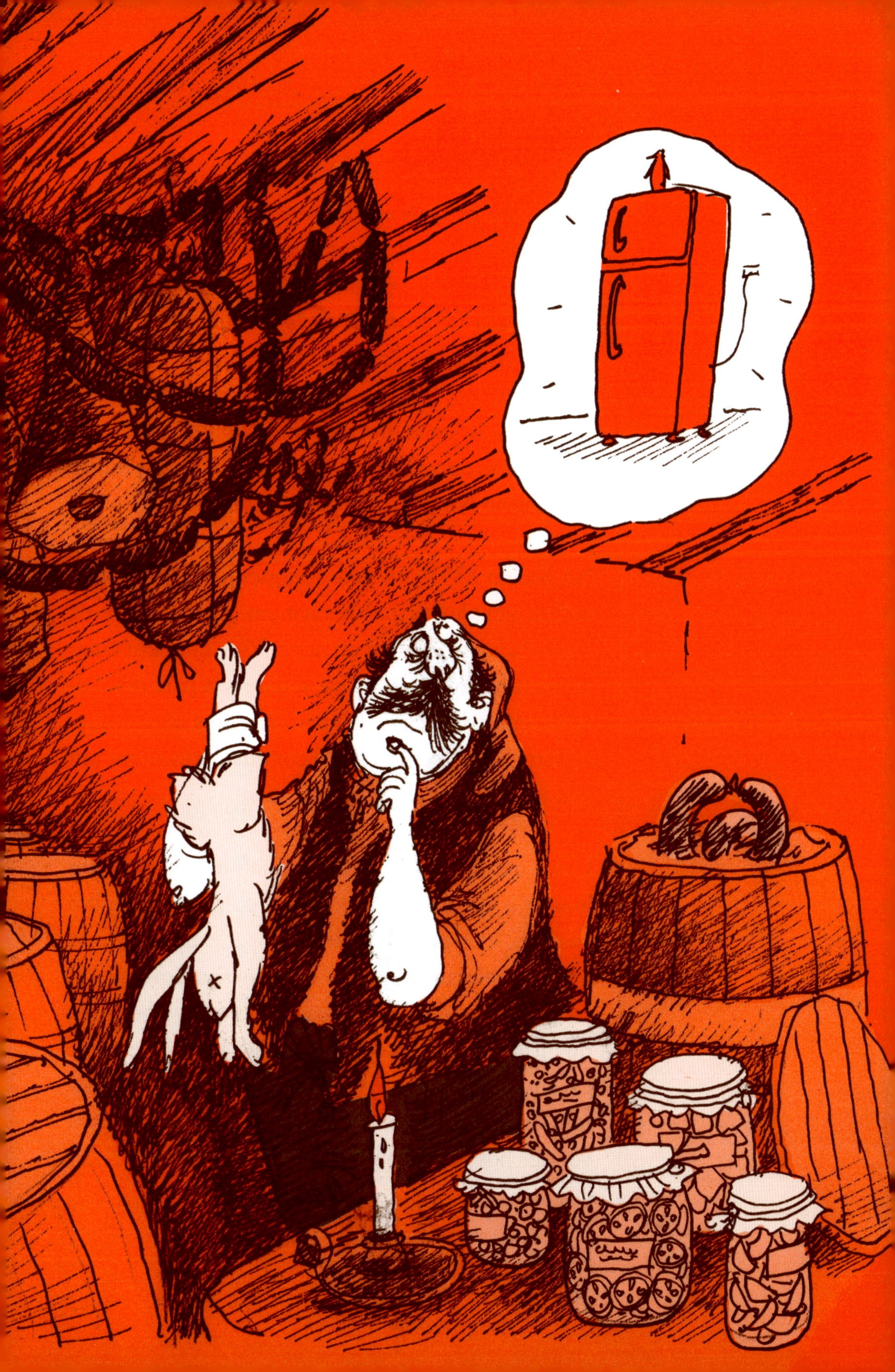

escuro, longe da luz e do calor. Outro costume era fazer compotas ou geleias, que também se mantêm conservadas por mais tempo. Já no Brasil, a abundância de frutas frescas em qualquer época do ano tornava o estoque desnecessário. Quanto às carnes, em vez de guardá-las em locais escuros, os brasileiros deixavam-nas expostas ao sol. O costume deu origem à carne de sol, que é muito comum no Nordeste do país.

No século XVIII, os ricos europeus criaram as primeiras geladeiras: um buraco em alguma parte da casa, cheio de gelo ou de neve. Eles também colocavam um pouco de palha, que servia para desacelerar o derretimento. Os historiadores dizem que, dentro desse esconderijo, a comida podia durar um ano inteiro, de um inverno a outro.

Havia até mesmo um profissional, responsável por buscar a neve nas montanhas, o "geladeiro". No começo, eles só trabalhavam nos meses frios, mas logo arrumaram um jeito de não ficarem desempregados no verão. Eles passaram a recolher uma quantidade exagerada de neve no inverno e estocavam o excesso em poços escavados em partes altas das cidades (que costumam ser mais frias) para vender nos meses quentes.

Regiões muito frias nem precisavam se preocupar com as geladeiras improvisadas. Bastava deixar os alimentos do lado de fora da casa, enterrados sob a neve. Era assim, por exemplo, que as pessoas mantinham as bebidas geladas para uma festa. Outra opção era colocar as garrafas em um balde e mergulhá-lo dentro de um poço de água.

Em 1834, o americano Jacob Perkins patenteou a primeira máquina refrigeradora de que se tem notícia. Mas o eletrodoméstico era caríssimo e só chegou à casa dos mais ricos. Para a maior parte das pessoas, geladeira continuou sendo raridade por pelo menos cem anos. Tanto que, quando o escritor Mário Souto Maior chegou com um refrigerador na cidade de Bom Jardim, no interior de Pernambuco, todo mundo parou para ver. Isso já era 1930 e as pessoas passaram a visitar Mário e sua família só para conhecer o aparelho.

A chegada da geladeira também ajudou a diminuir o tamanho da despensa (antes os estoques tinham de ser enormes, já que muita coisa se perdia) e a variar o cardápio. As carnes, por exemplo, podiam finalmente ser guardadas cruas. Antes, o melhor jeito de conservar era assando e ninguém mais aguentava comer tanta carne assada!

E SEM FOGÃO?
Antes do fogão a gás, inventado em 1902, cozinhávamos em fogões à lenha. Já quem queria só esquentar um lanchinho e coisas pequenas, como batatas ou bananas, usava o borralho (restos de brasas quase apagando, mas ainda quentes). É daí que vem o apelido da famosa personagem: gata borralheira.

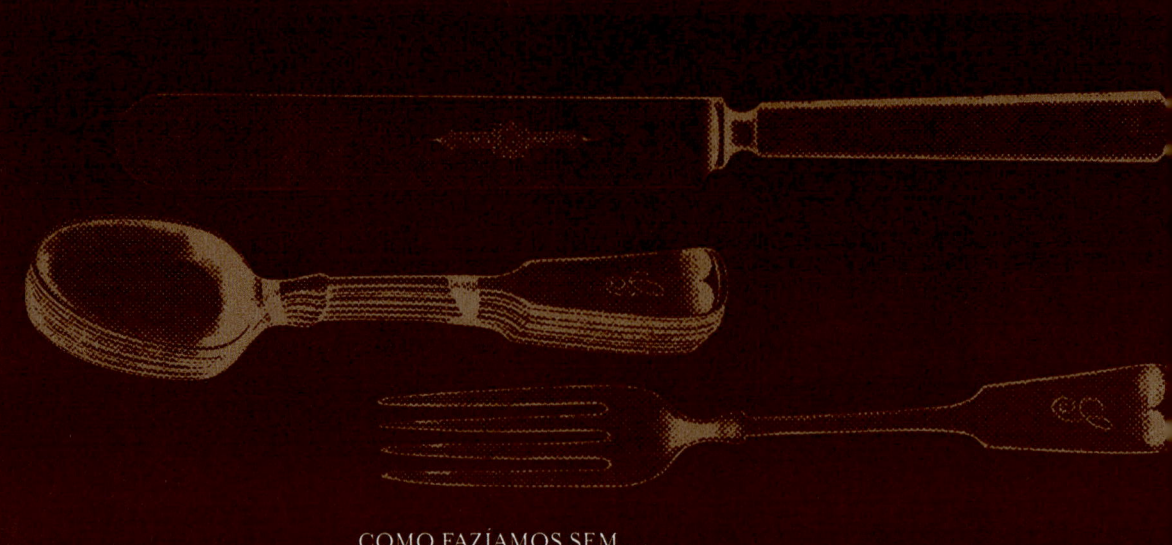

COMO FAZÍAMOS SEM…
TALHERES

A mesma faca que limpava os pés era usada na alimentação.

Há alguns anos, quando alguém estava sentado à mesa e falava "mãos à obra", era realmente isso que queria dizer. Facas, garfos e colheres foram inventados em um passado remoto (homens das cavernas já afiavam pedras para que elas se tornassem cortantes), mas seu uso só se popularizou no século XVIII. Antes, os participantes de qualquer refeição – dos almoços mais triviais aos grandes banquetes – usavam as mãos para pegar a comida do prato.

Na Inglaterra e na França, as grandes mesas da nobreza contavam com duas ou três facas, que eram usadas apenas para cortar as carnes ou os alimentos

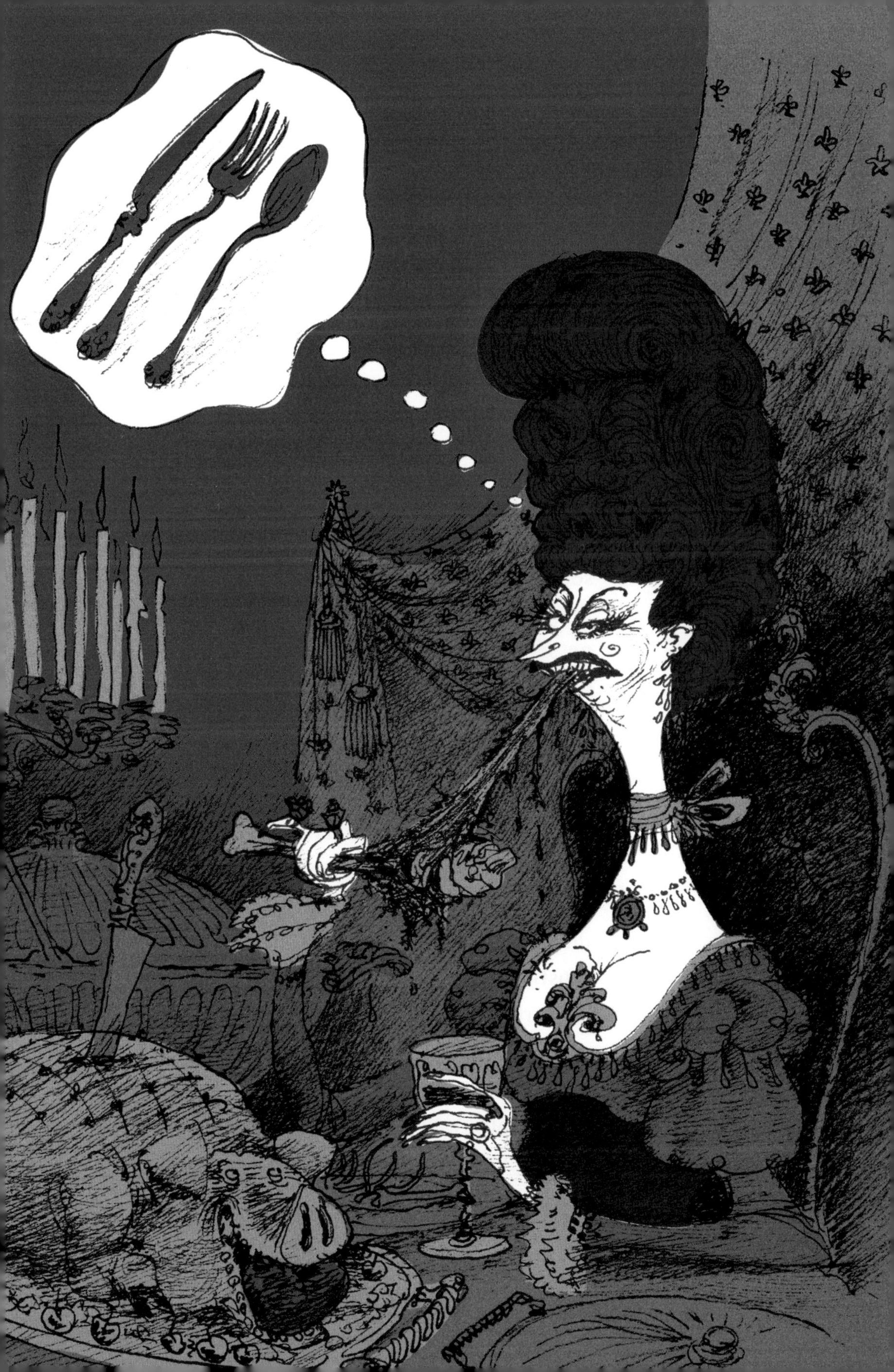

mais duros. Para outros pratos, os convidados se serviam da mesma travessa, usando as mãos. As sopas eram colocadas em uma mesma tigela, de onde bebiam duas, três ou mais pessoas.

Talheres eram tão raros – e, por isso mesmo, valiosos – que apareciam nos testamentos de pessoas ricas. E garfos, que hoje nos parecem tão inofensivos, chegavam a ser malvistos pela Igreja. "Deus, em sua sabedoria, deu ao homem garfos naturais – seus dedos. Assim, é um insulto a Ele substituí-los por garfos de metal", escreveu um padre italiano no século XI, ao ver que a esposa do governante de Veneza tinha o "estranho" hábito de não usar as mãos durante as refeições.

No Brasil, a coisa não era muito diferente. Tanto que, quando os primeiros talheres apareceram por aqui – trazidos pelas pessoas mais modernas, que voltavam de viagens na Europa –, nem todo mundo gostou da novidade. Alguns registros históricos mostram que quem mais resistiu ao uso da faca e do garfo individuais foram as mulheres. Para não serem obrigadas a usar talheres, muitas preferiam fazer as refeições na cozinha, com os empregados e as crianças. Assim, podiam comer com as mãos sem nenhum constrangimento.

COMO FAZÍAMOS SEM...

Já os homens carregavam as próprias facas, mesmo quando eram convidados a comer na casa de alguém. Além de ajudar nas refeições, o talher era usado em várias outras funções: defesa, palitar os dentes, cortar o fumo e tirar bichos-de-pé. E não tinha essa de lavar a faca depois, não. O máximo que eles faziam era limpar a lâmina na toalha antes de colocar a faca dentro da bota novamente.

A falta de talheres também acabava influenciando o cardápio. Na Europa, durante os séculos XVIII e XIX, somente as pessoas mais pobres comiam espaguete. Isso porque os ricos achavam muito humilhante essa história de comer aqueles fios de massa com as mãos. Mas, assim que o garfo passou a circular pelos castelos e palácios, massa virou comida para a realeza também. Agora, finalmente, eles podiam comer aquele prato delicioso. E o melhor: sem perder a dignidade!

No Brasil, a falta de talheres acabou levando à criação do "capitão": os pratos que tinham molho eram amassados com farinha até que se transformassem em um bolinho e pudessem ser levados à boca com a mão. Ninguém sabe ao certo a origem do nome, mas ele é usado até hoje para se referir ao hábito de comer com as mãos.

E SEM GUARDANAPOS?
Apesar de ter aparecido mais cedo, guardanapos também estiveram fora das refeições por séculos. Até o ano 1400, mais ou menos, homens e mulheres assoavam o nariz ou limpavam a boca nas próprias mãos. As mesmas mãos que se serviam da travessa coletiva.

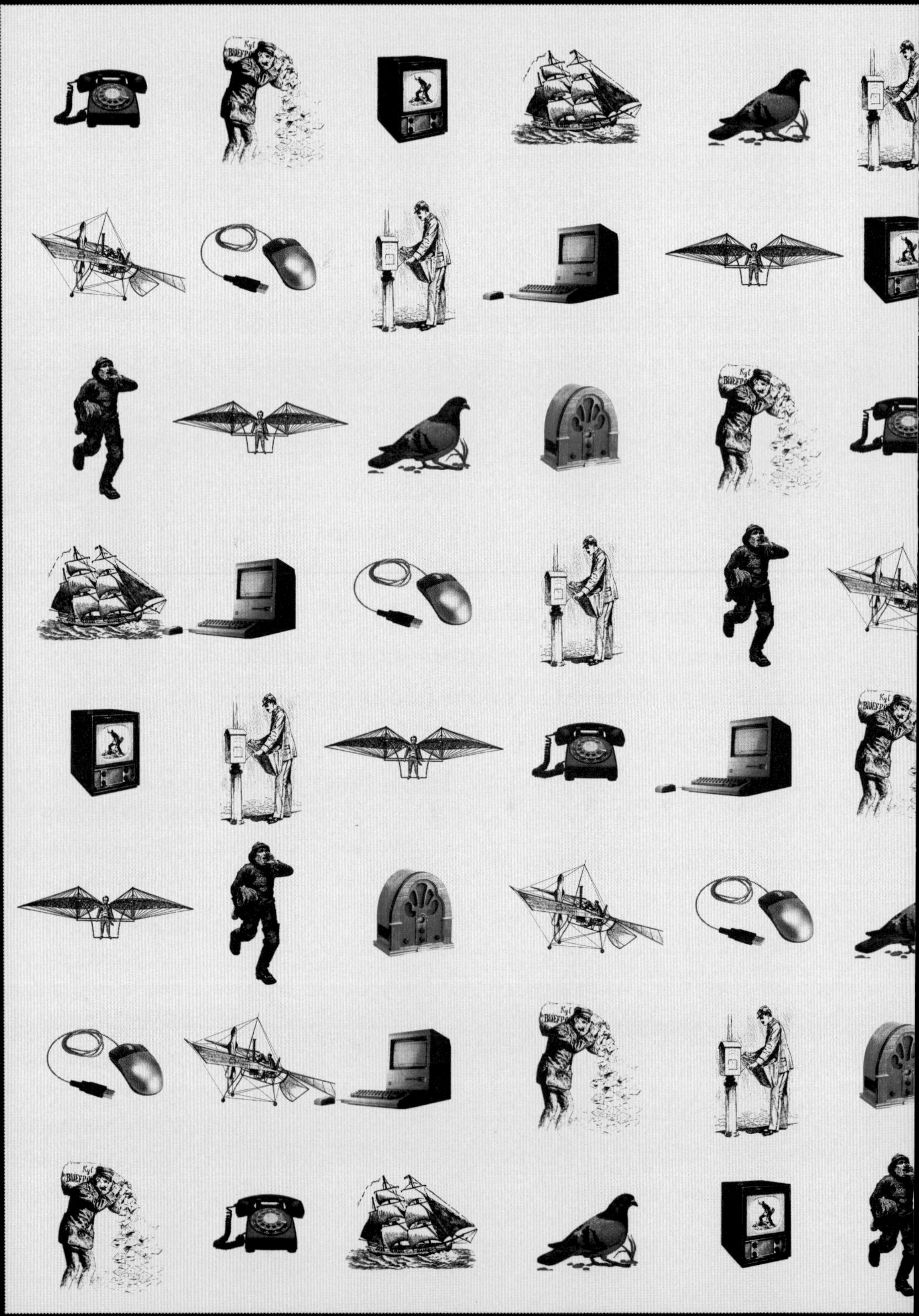

COMUNICAÇÃO

Avião

Correio

Internet

Telefone

Televisão

COMO FAZÍAMOS SEM...
AVIÃO

Cabral poderia ter descoberto o Brasil em apenas dez horas de viagem.

VIAJAR de Ouro Preto (no interior de Minas Gerais) ao Rio de Janeiro – as duas principais cidades do Brasil no século XVII – levava pelo menos 12 dias. Hoje, o assunto é resolvido com apenas 50 minutos dentro do avião.

E se você é daqueles que reclamam depois de algumas horas dentro do carro e acha que o maior problema naquele tempo era ter paciência para aguentar quase duas semanas de viagem, é porque não tem ideia de quanto elas eram desconfortáveis. Quem fazia a viagem com mais frequência eram os tropeiros, encarregados do comércio de animais – em geral, bois. Eles iam a cavalo, parando em fa-

COMUNICAÇÃO

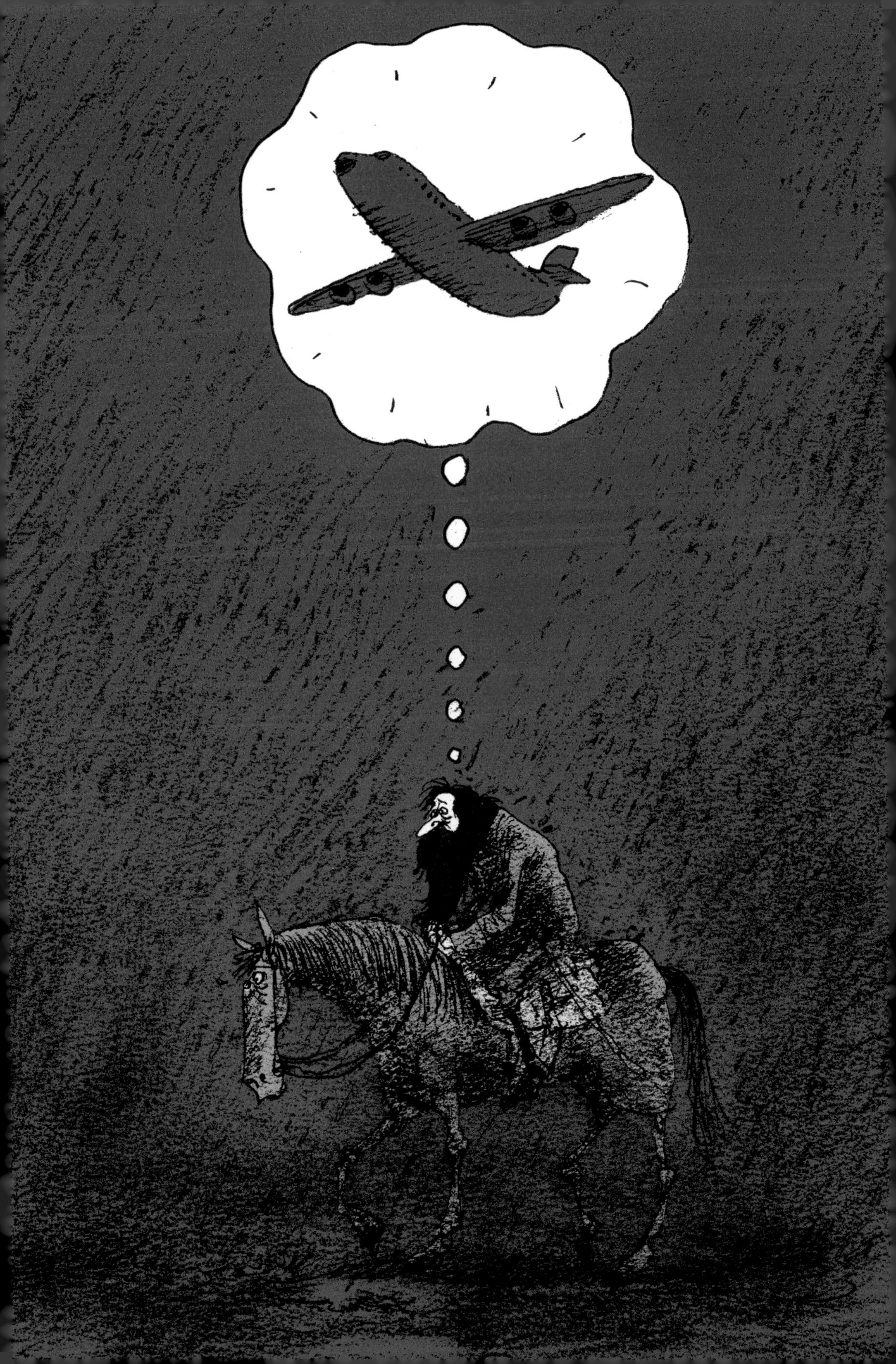

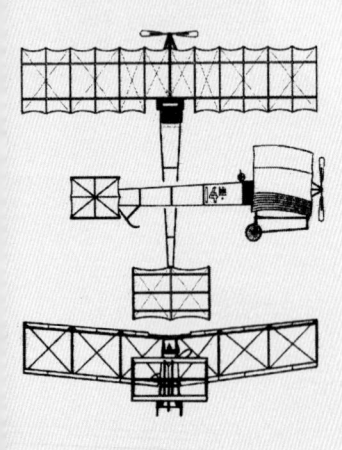

OS PAIS DO AVIÃO

Pergunte a um americano quem inventou o avião. No lugar de "Santos Dumont", ele dirá: "Os irmãos Wright". E o mais impressionante: ele não está errado! O avião contou com pesquisas de muitos homens e por isso tem muitos pais. O que Dumont fez antes de todos foi voar para uma comissão julgadora, em 23 de outubro de 1906.

zendas para pernoitar. Um dos problemas que enfrentavam – além dos percalços da estrada, como lama, mosquitos e bandidos – era levar alimentos que não perecessem em uma viagem tão longa. Foi dessas dificuldades que nasceram alguns pratos que comemos até hoje. Um dia, por exemplo, alguém que gostava muito de feijão teve a ideia de misturá-lo com farinha. Assim ficava mais fácil transportar – e o feijão ainda se mantinha conservado por mais tempo. Resultado: nasceu o feijão tropeiro, um clássico da comida nacional.

Quando podiam, as pessoas preferiam ir de navio. Do Recife ao Rio de Janeiro eram cinco dias no mar. Para chegar a Portugal, levava-se pelo menos duas semanas – e isso quando já havia navios a vapor, que começaram a ser usados com frequência só na metade do século XVIII. Na época do descobrimento, quando ainda empurrávamos o navio com velas e a força dos ventos, era preciso navegar por meses. Pedro Álvares Cabral, por exemplo, levou 41 dias para chegar ao Brasil – hoje, de avião, o mesmo percurso dura cerca de dez horas.

Com tantas dificuldades, as viagens precisavam ser planejadas com muita antecedência e cuidado. Um dos principais desafios era elaborar a lista de compras para encarar as jornadas. O item número um era sempre limão, porque a fruta previne doenças como escorbuto, muito comum entre quem fica sem comer frutas e legumes frescos.

Para matar a sede, o ideal era levar vinho e cerveja, já que água acabava ficando imprópria para o consumo mais rápido que essas bebidas. O problema maior era calcular as quantidades certas. Afinal, era impossível saber com precisão quantos dias duraria o trajeto (lembre-se de que, naquela época, tudo dependia da força dos ventos e das águas). Quando a escassez dentro do navio era muito grande, os viajantes se viravam do jeito que podiam. E isso significava comer e beber qualquer coisa. "Cada homem tinha direito a apenas uma boca cheia d'água por dia. Muitos bebiam a própria urina", conta um marinheiro no seu relato de viagem dos anos 1800. Ou seja, eles se viravam com qualquer coisa mesmo!

Com tanta dificuldade, viajar se tornava um evento muito raro na vida das pessoas. Tão raro que jornais como o *The New York Times*, um dos mais importantes do mundo, anunciavam numa coluna diária o nome de quem chegava e de quem partia. A coisa era para poucos corajosos mesmo!

É UM PÁSSARO?
Em 1911, enquanto inventores do mundo todo testavam projetos de aviões, o alfaiate austríaco Franz Reichelt criou um casaco--paraquedas que, segundo ele, era capaz de fazer um homem flutuar por alguns minutos no céu. Para provar sua tese, vestiu o casaco esquisitão e saltou da Torre Eiffel, em Paris. Morreu elegantemente vestido perto da Champs-Elisées.

COMO FAZÍAMOS SEM...

CORREIO

Os pombos faziam muito mais sucesso.

APESAR de muita gente achar que pombos-correio são apenas personagens da ficção, a verdade é que eles eram mesmo usados para carregar mensagens (os bilhetes costumavam ser amarrados aos pés ou presos à barriga por uma fita). E o mais impressionante: eles funcionavam! É claro que as aves não têm a mesma eficiência de um celular, mas elas faziam um belo trabalho antes da chegada das tecnologias de hoje. Em 1288, por exemplo, 1.900 pombos-correio foram "contratados" pelo serviço postal regular do Cairo, capital do Egito. E, na Idade Média, eles eram tão fundamentais, que sua criação era privilégio dos senhores feudais e dos membros da Igreja.

COMUNICAÇÃO

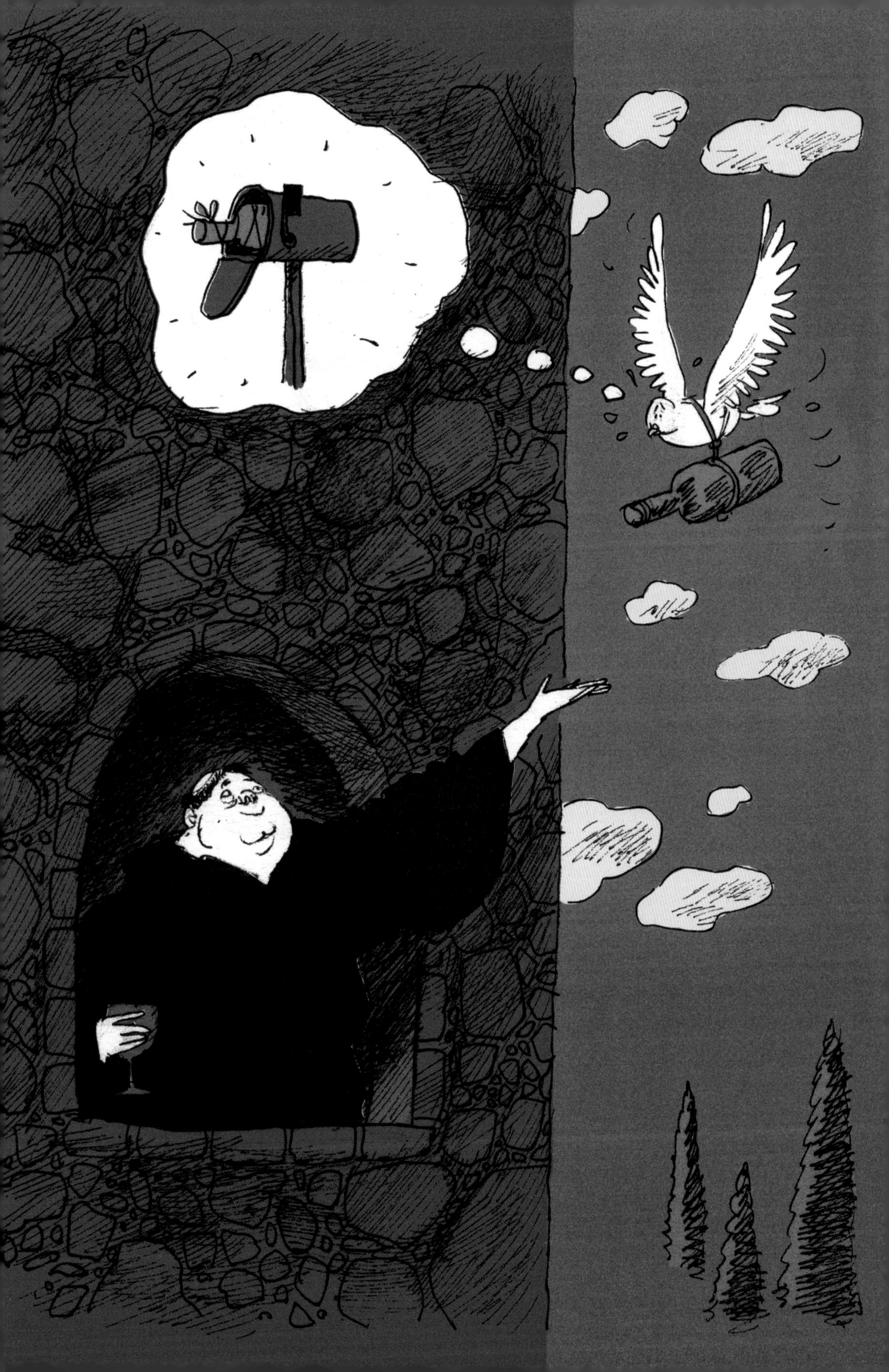

E SEM ENVELOPES?
Envelopes são uma invenção antiga. Mas eles não eram tão práticos quanto os que temos hoje, de papel. Os primeiros modelos eram feitos de tecido ou de peles de animais. Já os babilônios, no ano 3000 a.C., embalavam suas mensagens usando uma folha muito fina de gesso – que era levada ao forno para endurecer.

Os pombos também já provaram sua competência em relação a meios que, à primeira vista, parecem mais avançados. Em 1815, quando órgãos oficiais de Londres já eram equipados com um telégrafo ótico (um tipo menos eficiente do que o elétrico, que surgiria em 1844), um investidor financeiro ficou sabendo antes de todo mundo que Napoleão tinha perdido a batalha de Waterloo para os ingleses. O homem tinha montado uma rede de pombos-correio que lhe traziam notícias da Europa e usou a informação sobre a derrota para fazer bons investimentos na bolsa de valores de Londres. Sem dúvida muita gente teria pago um bocado de dinheiro pelo que os pombos-correio sabiam àquela hora.

O soldado grego Feidípedes é outro que teria pago fortunas por um pombo-correio. No ano 490 a.C., depois que seu exército derrotou os persas em uma batalha, ele teve de correr até Atenas para dar a notícia. Feidípedes correu mais ou menos 37 quilômetros – quase uma maratona. Quando chegou, completamente esgotado, deu o recado e morreu. Quase 2.500 anos depois, durante a Segunda Guerra Mundial, uma ave fez um percurso ainda maior (39 quilômetros) e levou apenas 25 minutos. Melhor de tudo: chegou viva, mesmo com uma pata arrancada e o peito ferido por uma bala.

Mas os pombos não eram a única solução num mundo sem sistema postal. Correios informais foram inventados em diversos lugares do Brasil. Em geral, o esquema consistia em um mensageiro que saía às quintas-feiras, a cavalo, passava por todas as cidades que participavam do correio, e voltava aos sábados com os jornais e a correspondência. Os interessados em participar pagavam uma assinatura mensal.

Em 1653, um francês estabeleceu um sistema particular de correio em Paris, na França. Ele instalou caixas de cartas pela cidade e entregava a correspondência deixada ali, desde que ela usasse os envelopes vendidos por ele. Era uma ideia brilhante. Tão boa que despertou a inveja de algumas pessoas e, alguns dias depois de instaladas, as caixas foram encontradas cheias de ratos vivos, levando o homem à falência.

No Brasil, o correio foi instituído oficialmente em 1663, e quem levava as cartas de uma cidade a outra eram os escravos e os tropeiros (homens responsáveis pela compra e venda de gado). O serviço aéreo começou em 1925, quando três malas cheias de cartas saíram em um avião do Rio de Janeiro com destino a Buenos Aires, na Argentina.

TENHA O SEU

O pombo-correio é uma raça especial de pombos. Ele é rápido, resistente e tem um ótimo senso de orientação. Os especialistas em pombos são chamados columbófilos e você pode encontrá-los em várias cidades do Brasil. Mas atenção: compre a ave com até 40 dias de vida. Se ela for mais velha, pode acabar voando de volta para o lugar onde nasceu.

COMO FAZÍAMOS SEM...
INTERNET

Seus pais não consultavam o Google para fazer os trabalhos escolares.

ANTES da internet, livros eram nossa única fonte de pesquisa e o único veículo capaz de registrar a história. Isso criava alguns problemas. Primeiro, os livros se preocupavam em registrar apenas as coisas grandiosas. Fatos corriqueiros como o dia a dia de um garoto como você não pareciam ter importância, e as informações que temos sobre isso hoje são resultado de uma pesquisa intensa, em documentos como cartas e diários, que às vezes precisavam ser reconstituídos. Um outro problema é que livros costumavam ser escritos pelos vencedores. Assim, tínhamos acesso a apenas um lado dos eventos e uma grande parte da história se perdia.

COMUNICAÇÃO

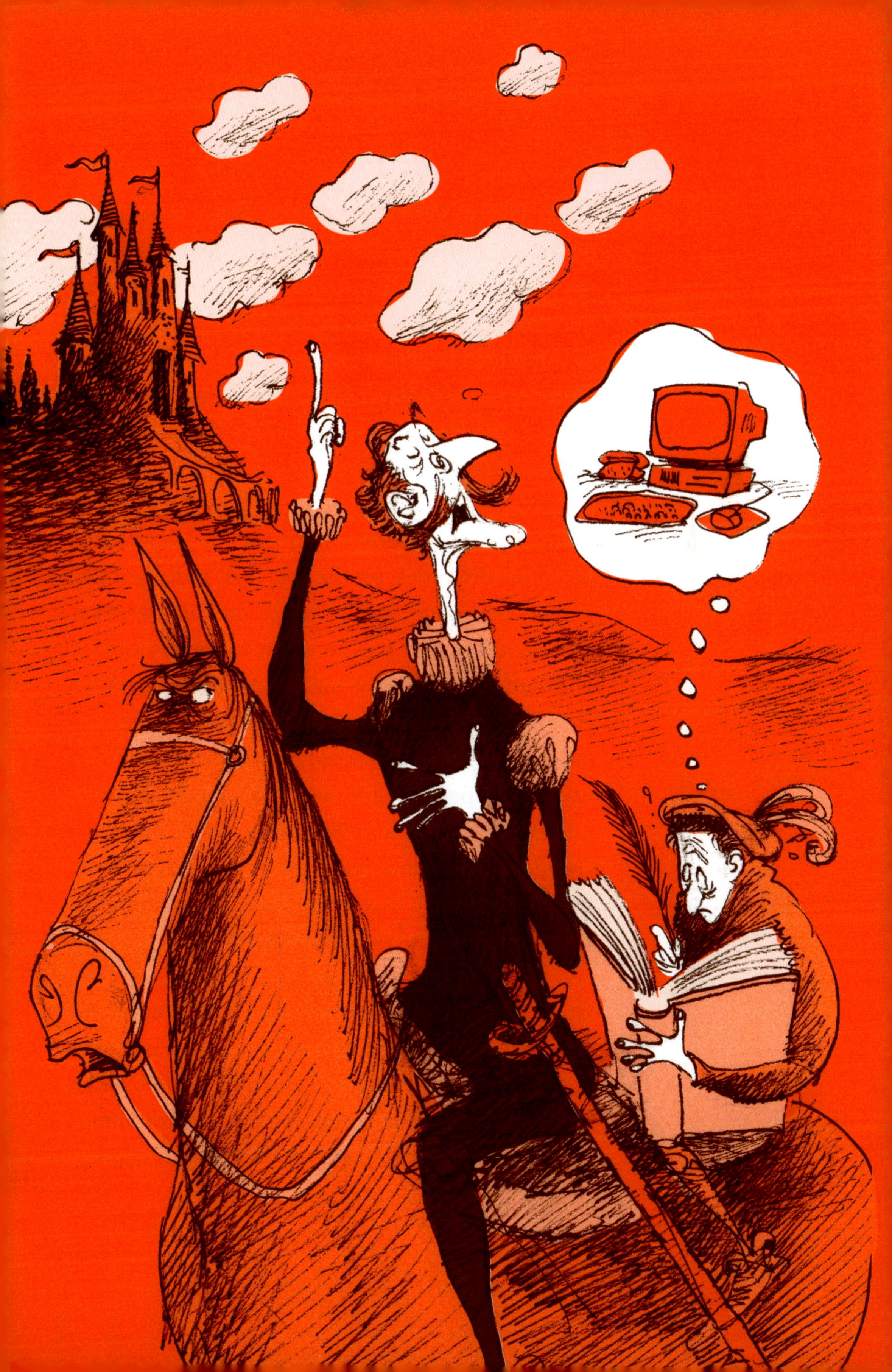

Hoje, isso mudou um bocado. Blogs espalhados pela rede contam qualquer história dos mais diversos pontos de vista. E isso para não falar do registro que eles fazem da rotina de pessoas completamente diferentes umas das outras. No futuro, os historiadores vão ter bem menos trabalho para recontar o dia a dia dos homens, mulheres e crianças que viveram nos anos 2000.

A invenção da internet também foi responsável pelo fim de várias profissões. Nas redações dos jornais, por exemplo, um emprego comum era o de arquivista. Sua função era recortar as notícias publicadas em todos os jornais do dia e separá-las por tema. Quando alguém importante morria (vamos supor, Getúlio Vargas), os repórteres do jornal vinham pedir ao arquivista todas as pastas com informações sobre aquela pessoa. Hoje, usando o Google, essa mesma pesquisa leva três segundos! E, no dia em que este texto foi escrito, retornava 1.970.000 páginas com informações.

Outra característica de um tempo sem internet era a facilidade em copiar coisas de lugares distantes. Se alguém viajava para os Estados Unidos e ouvia uma melodia de que gostasse muito, por exemplo, podia simplesmente copiar a composição quando voltasse para o Brasil. Na maior parte das vezes, ninguém ficava sabendo do plágio. Não é que hoje as pessoas não copiem umas às outras – ou os trabalhos escolares umas das outras, por exemplo –, mas pelo menos está muito mais fácil descobrir o imitador. Basta digitar um trecho suspeito num site de busca para dar de cara com o texto de "referência" usado pelo espertinho.

Mas talvez a mudança mais importante da internet tenha sido transformar a comunicação entre duas pessoas que estão em lugares distantes. Antes da rede, que só começou a ser usada pelas pessoas comuns em 1995, a única forma de mandar notícias para um amigo era escrevendo uma carta. Isso podia levar meses. Imagine querer contar a conversa que você teve com seu paquera na hora do almoço para sua melhor amiga que está fazendo intercâmbio e saber que ela só vai ficar a par do acontecido daqui a duas semanas. Isso era bastante comum até 1997, quando a autora deste livro foi passar um ano na Inglaterra. E o pior de tudo: nas malas que trouxe de volta, estavam lá as 567 cartas que recebi durante um ano. Hoje, o máximo que você teria de fazer era criar um endereço de e-mail com maior capacidade de armazenamento. E de graça!

MAIS IMPORTANTE QUE A LUZ
Computadores precisam de energia para funcionar. Ou seja, internet só com eletricidade, certo? Bom, uma cidadezinha chamada Almécegas, perto de Fortaleza, provou que as coisas não são bem assim. Lá ainda não chegaram os cabos da luz elétrica, mas já há internet. Os moradores usaram energia solar para fazer dez computadores funcionarem e se conectarem à rede.

COMO FAZÍAMOS SEM...
TELEFONE

ANTES do telefone, mandávamos telegramas. É bem possível que você nunca tenha nem ouvido falar neles, mas telegramas eram a única maneira de dar notícias urgentes para pessoas que moravam longe quando o telefone ainda não tinha sido inventado. Funcionava assim: se você queria mandar parabéns para alguém, por causa do aniversário, ou queria avisar de um acontecimento imprevisto, você ia até o correio e ditava a mensagem para o telegrafista (existia um profissional que ficava só por conta do assunto). A pontuação era dada usando um código de letras e o preço variava conforme o número de palavras. Com isso, o texto era sempre bem enxutinho.

Garotos de recado, lanterna e até assobio. Valia de tudo para dar avisos ou notícias.

COMUNICAÇÃO

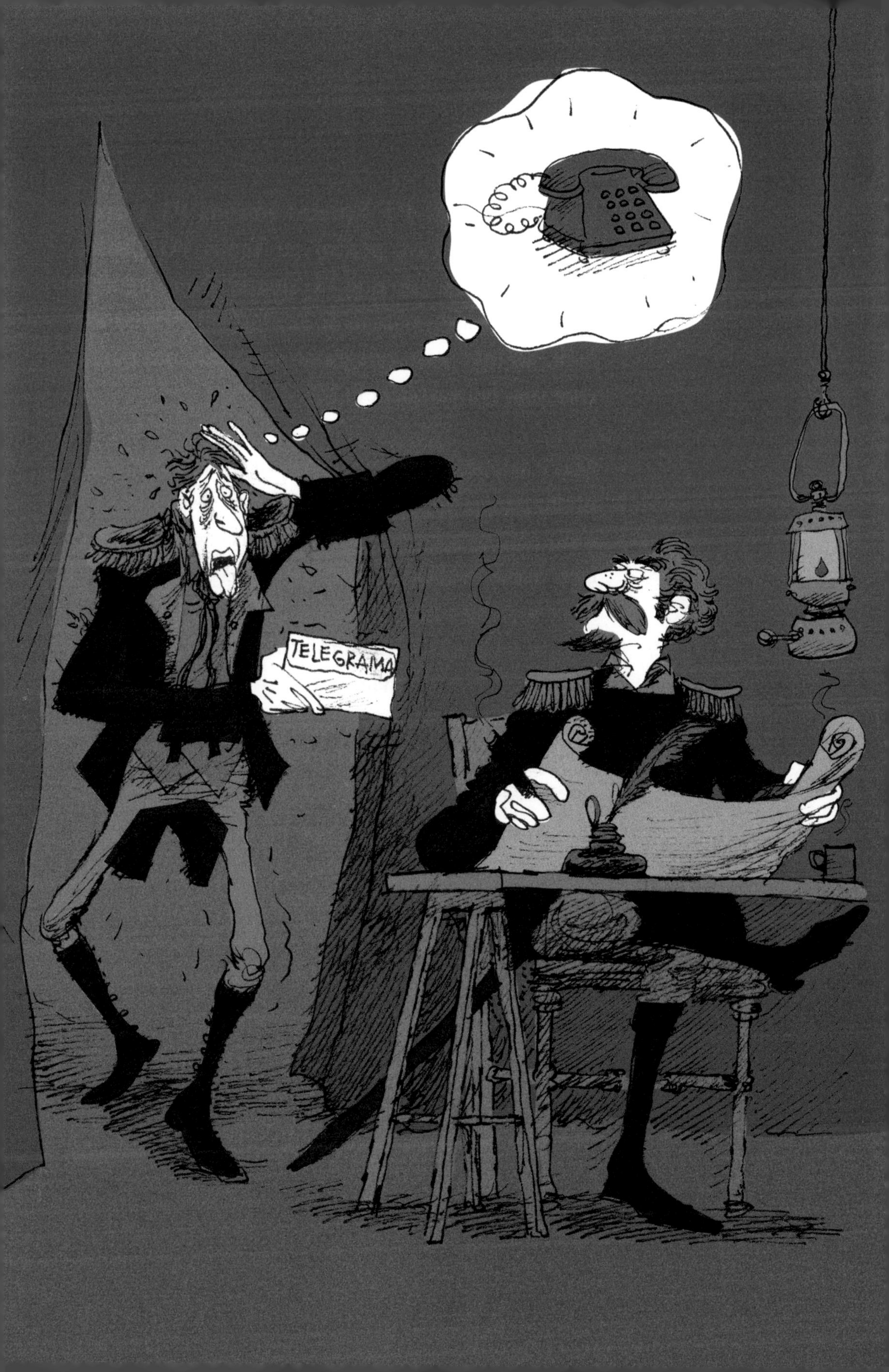
TELEGRAMA

Morreu sua mãe PT Enterro amanhã PT (sendo que PT significava ponto) ou Venha VG Clarice nasceu SDS (sendo que VG queria dizer vírgula e SDS era uma abreviação de saudações). (Pensando bem, até que esse telegrama se parece um pouco com suas conversas pelo MSN, não?)

Mas e se você esquecesse qual lição sua professora pediu para o dia seguinte? Ou quisesse pedir para a sua mãe deixar você dormir na casa de uma amiga com quem está passando o dia? A não ser que você fosse até onde estava a pessoa com quem você precisasse falar, não havia como tirar sua dúvida ou fazer o pedido à sua mãe.

Hoje isso seria um problemão e o mais provável é que você acabaria sem fazer o dever de casa. Mas, no tempo em que ainda não havia telefone, as cidades eram bem menores e caminhar de um lugar a outro não era tão inconveniente.

Outra opção era convencer alguém a levar o recado para você – uma tarefa que costumava fazer parte dos deveres de empregados. Profissionais que precisavam do leva e traz constante de informações contratavam um contínuo, uma espécie de *office--boy* do século passado. "Quando ficava trabalhando em casa, sem aparecer na repartição, o ministro queria o contínuo perto de si, pronto para receber, introduzir ou mandar embora os visitantes, ou levar à secretaria, rapidamente, qualquer ordem de sua excelência. Naquele tempo não havia telefone", escreveu Artur de Azevedo no conto "As barbas de Romualdo".

Outros métodos usados para chamar pessoas a uma certa distância incluíam o uso de assobios ou lanternas. Nesses casos, vizinhos estabeleciam códigos. Por exemplo: duas piscadas poderia querer dizer "venha até aqui"; cinco piscadas: "vou demorar um pouco mais"; ou 22 piscadas muito rápidas: "meu irmão leu o seu diário".

No Brasil, o primeiro aparelho de telefone foi instalado na residência de dom Pedro II, em 1877, apenas um ano depois de a invenção ter sido patenteada pelo escocês Alexander Graham Bell. Mas as ligações não eram diretas, como são hoje. Quando você pegava o aparelho do gancho, era conectado a uma central telefônica. Do outro lado da linha, uma telefonista era responsável por chamar o número desejado. A ligação indireta durou até 1966, quando a nova tecnologia permitiu ao usuário ligar diretamente para quem quisesse.

VAGAS SÓ PARA MOÇAS
A primeira central telefônica aberta nos Estados Unidos, em 1878, empregava rapazes. Mas, no final do ano, todos foram substituídos por garotas.
O motivo? Tanto homens quanto mulheres preferiam ser atendidos por uma voz feminina.

COMO FAZÍAMOS SEM...
TELEVISÃO

O rádio era o principal divertimento das famílias.

CONTANDO, ninguém acredita. Em 1967, lá no Oriente Médio, Israel atacou a Jordânia durante a Guerra dos Seis Dias. Mas aqui no Brasil, no interior de Minas Gerais, também houve confusão. É que o prefeito de uma pequena cidade do interior, chamada Jordânia, ouviu pelo rádio a manchete do dia: O exército de Israel está pronto para invadir a Jordânia. Nem acabou de escutar a notícia, saiu correndo para avisar a polícia. Na época, o governador de Minas Gerais era Israel Pinheiro, adversário político do prefeito de Jordânia. Por alguns minutos, o homem realmente achou que o governador estava se preparando para tirá-lo do poder.

COMUNICAÇÃO

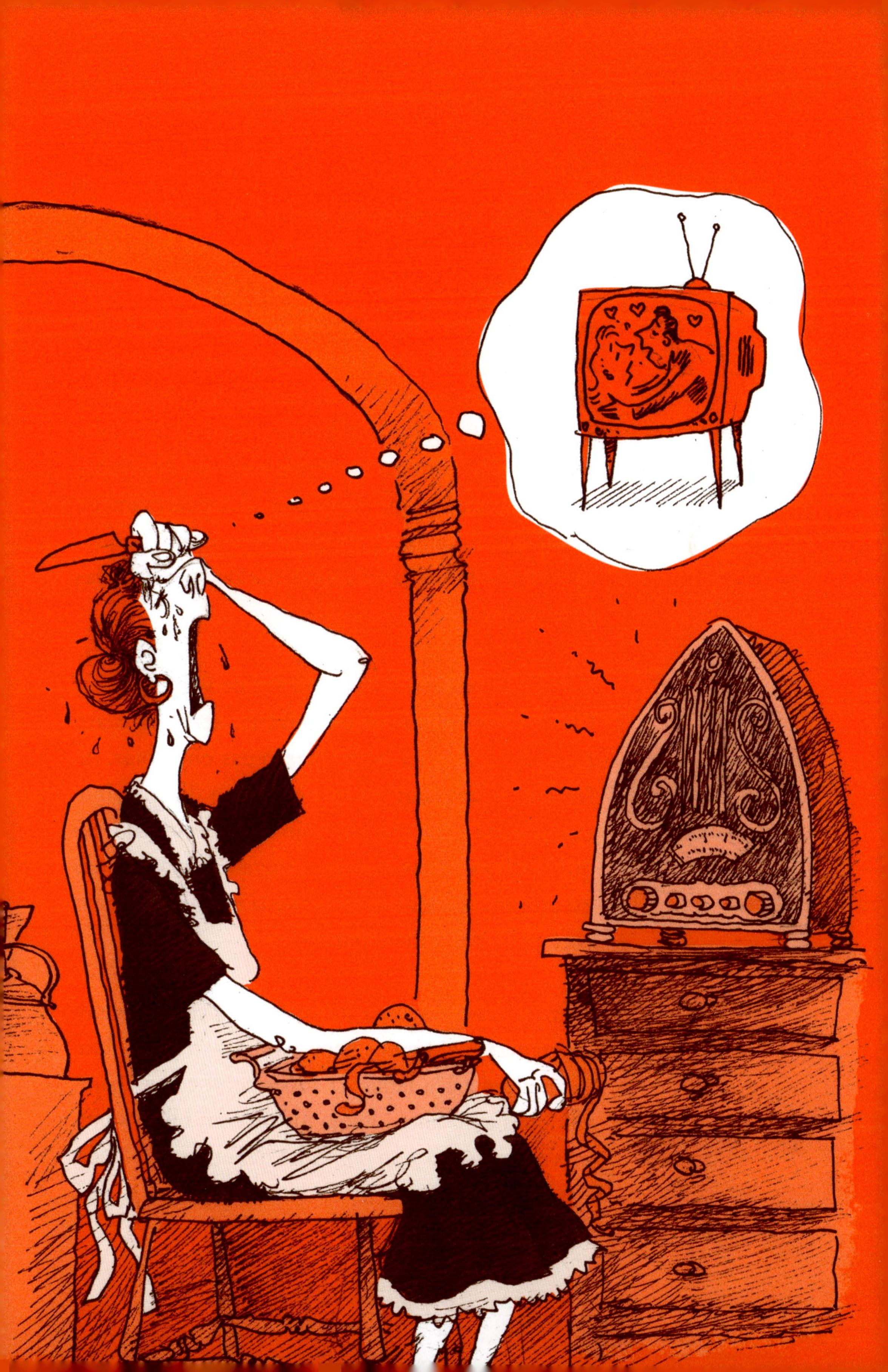

A história, que ninguém garante se é verdadeira, aparece num cordel de Tadeu Martins e é contada com frequência pelos mineiros jordanianos. Ninguém ousa duvidar quando escuta, mas é muito provável que, se naquela época já houvesse televisão em Jordânia, as pessoas rissem dos contadores do causo. Afinal, o prefeito teria visto na tela imagens de um exército bem diferente do brasileiro. Mas os aparelhos de televisão só apareceram no Brasil lá pelos anos 1950, e em cidades tão pequenas quanto Jordânia levaram mais algumas décadas para chegar.

E o que as pessoas faziam em vez de ver televisão? Elas ouviam rádio. Havia novelas, seriados e até peças de teatro na programação das emissoras. As famílias se reuniam na sala em torno do aparelho, exatamente como fazem hoje com a televisão. Só que, no lugar de assistir aos programas, elas apenas escutavam. E eles não eram nada sem graça, como você pode estar imaginando.

Só para você ter uma ideia, foi por causa de um programa de rádio dos anos 1940 que o Super-Homem alcançou a fama. O super-herói tinha aparecido dois anos antes numa história em quadrinhos, mas o sucesso só veio por causa da série radiofônica.

O narrador do programa teve a ideia brilhante de começar o *show* com uma frase que faz sucesso até hoje: "É um pássaro? É um avião? Não, é o Super-Homem". Ao ouvir essa introdução, não tinha um único americano que não sentasse na sala para escutar o restante do programa.

Sem imagens, sobrava um bocado de trabalho para a imaginação do ouvinte. Era com isso que o cineasta Orson Welles contava quando resolveu fazer uma adaptação da obra *A guerra dos mundos*, do escritor H. G. Wells, na véspera da noite de *Halloween*, em 1938. Welles "noticiou" a invasão de uma pequena cidade nos Estados Unidos por um grupo de marcianos e os ouvintes acreditaram. O país inteiro entrou em pânico.

Além da programação do rádio, outro passatempo era escutar música. O gramofone, criado em 1888, era o aparelho de som da época e o disco de vinil, o CD. Famílias que tinham dinheiro para pagar os estudos de algum instrumento para um filho se reuniam ao final do dia para escutar as canções. Os mais animados chegavam a dançar. Outra opção era o bom e velho hábito de conversar, que acabou perdendo espaço com a chegada de um aparelho que prende tanto a nossa atenção.

CADÊ O ASSOBIO?
As novas tecnologias não costumam agradar aos mais velhos. Nem o rádio escapou dos opositores. Os moradores de Bagé, no interior do Rio Grande do Sul, não gostaram nada quando o aparelho começou a "monopolizar a atenção da gente humilde do campo, silenciando uma manifestação tão verdadeira da alma de cada um de nós, que é o assobio".

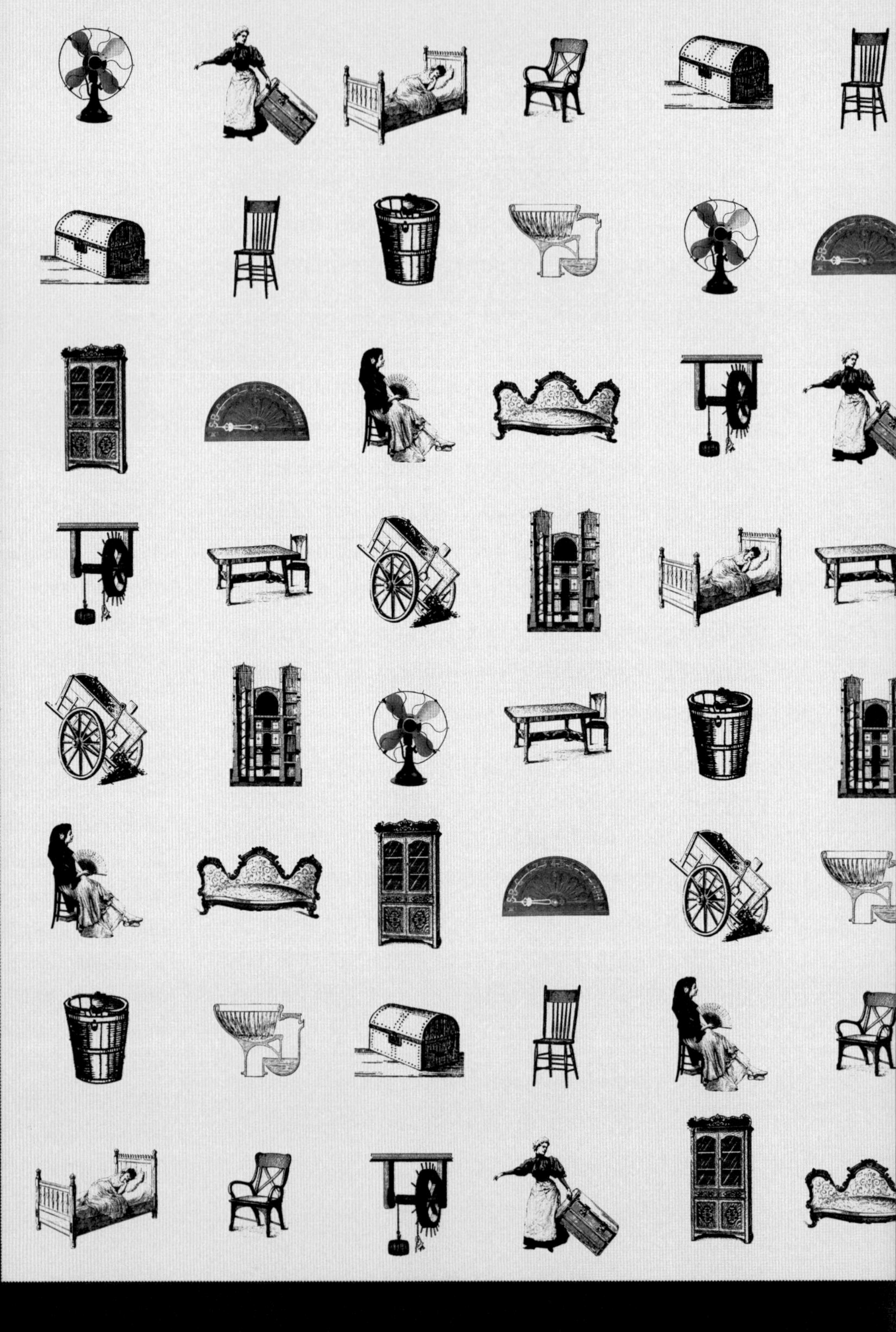

HABITAÇÃO

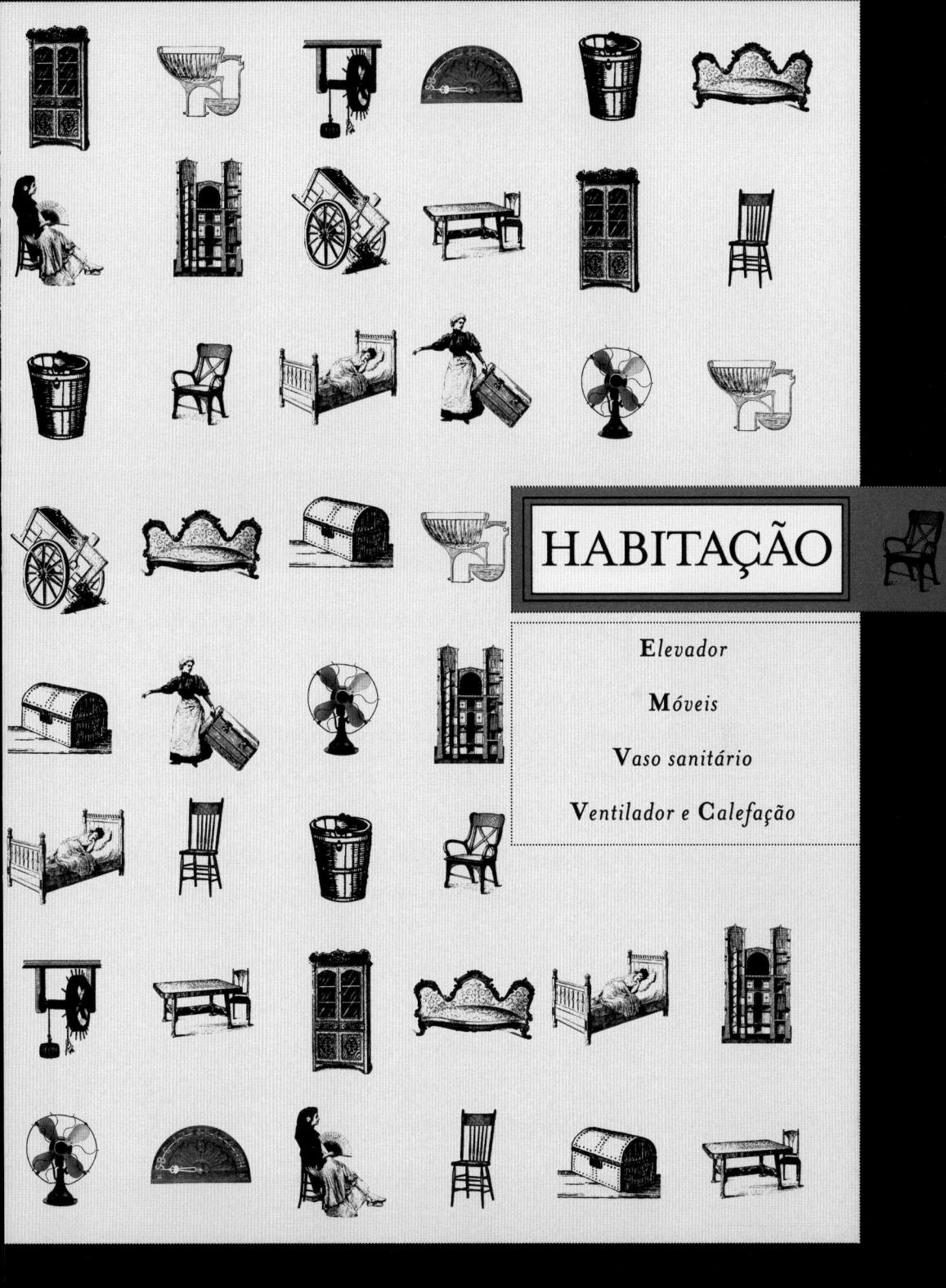

Elevador

Móveis

Vaso sanitário

Ventilador e **C**alefação

COMO FAZÍAMOS SEM...
ELEVADOR

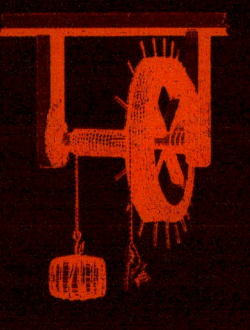

Os primeiros elevadores funcionavam manualmente.

PARA subir ao seu apartamento, o que você escolhe: escada ou elevador? Pois durante quatro mil anos o homem escolheu as escadas, deixando o elevador só para alimentos ou materiais de construção. Está certo que antigamente os elevadores eram muito diferentes dos de hoje (sendo que a principal diferença era a segurança), mas eles já existiam no mundo desde o Egito Antigo, no ano 1500 a.C. Nessa época, elevadores eram movidos por animais ou escravos. Usando cordas e roldanas, eles faziam subir uma plataforma até os aposentos dos faraós, que viviam em construções gigantescas. O objetivo, quase sempre, era abastecê-los com água e comida.

HABITAÇÃO

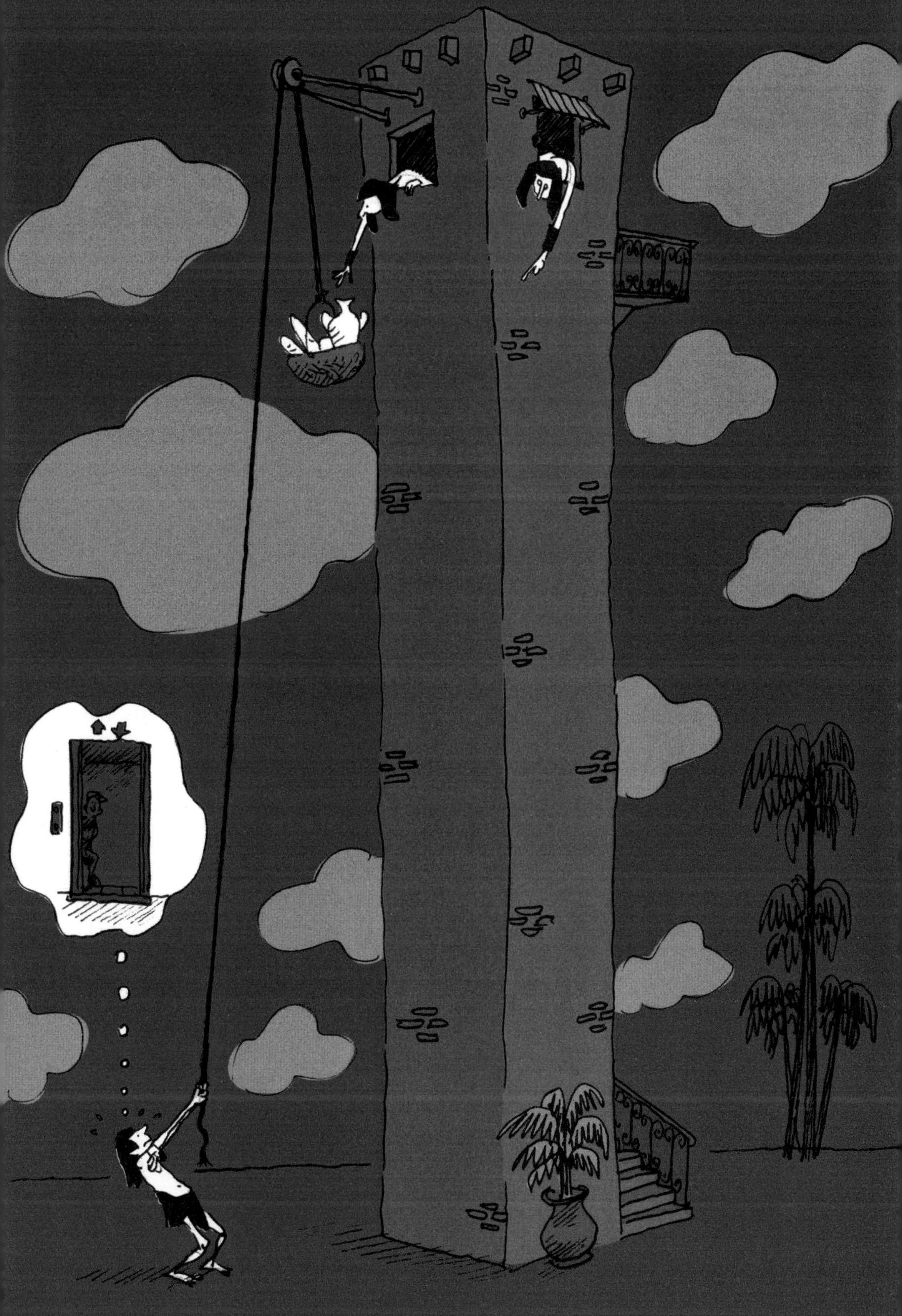

Na Roma Antiga, os engenheiros construíram elevadores mais eficientes, colocando-os dentro de poços para prevenir que a plataforma ficasse balançando de um lado para o outro. Eles serviam para içar animais e gladiadores ao centro do Coliseu nos dias de batalhas.

Os poucos elevadores para levar gente eram usados em localidades completamente isoladas, como um mosteiro na Grécia que ficava num penhasco a mais ou menos 60 metros do chão. O único jeito de fazer qualquer coisa chegar até lá em cima era usando um cesto içado pelos padres.

Como nessa época grande parte das casas era plana, até dá para entender porque os homens não se preocuparam muito em adaptar os elevadores para seres humanos. Mas em 1500 a coisa começou a mudar. As cidades estavam crescendo e, para aproveitar melhor o espaço, muita gente construiu pequenos prédios (nessa época, sete andares já era um exagero arquitetônico). Mas mesmo diante de sete lances de escada, os homens continuaram firmes em sua decisão de não usar elevadores. Até nos grandes castelos, só comidas e bebidas abusavam do luxo de ser suspensos sem ter que fazer esforços com as pernas.

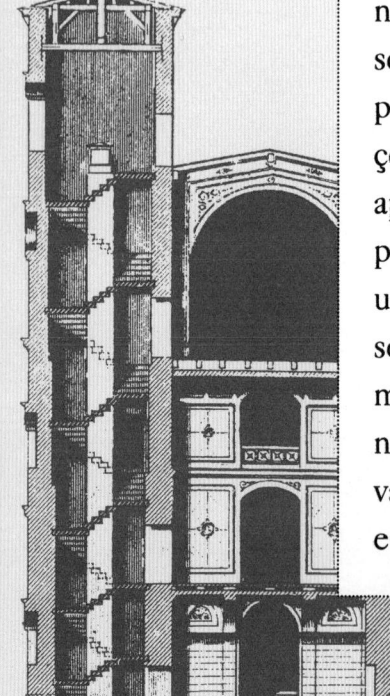

É claro que havia exceções. Uma delas era a imperatriz austríaca Maria Thereza, que mandou instalar logo três elevadores na cidade de Viena. O problema da nobre não era exatamente preguiça, mas obesidade das brabas. Tanto que, em 1720, ao usar o elevador instalado na Igreja Capuchin ela acabou ficando entalada. Ninguém sabe como conseguiram tirar a imperatriz lá de dentro.

Em 1743, um engenheiro do rei Luiz XV bolou uma "cadeira voadora" que subia do primeiro ao segundo andar no palácio (alguns dizem que ia direto para o quarto da amante do rei). O mecanismo de funcionamento (alguns empregados, cordas, pesos e roldanas) ficava dentro de uma chaminé e não eram vistos, o que levou à criação de um boato que dizia que a cadeira era enfeitiçada.

Foi só com a Revolução Industrial, no século XIX, que o homem aderiu de vez ao sedentarismo. Em 1852, Elisha Graves Otis (um homem, apesar de o nome fazer com que muita gente se refira a ele como ela) criou um elevador seguro para transportar passageiros. O primeiro modelo foi instalado em 1857 numa loja de Nova York. A invenção apareceu no Brasil em 1906, no Palácio das Laranjeiras, prédio oficial do governo do Rio de Janeiro.

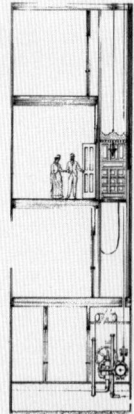

CADA VEZ MAIS RÁPIDOS
Os primeiros elevadores não eram, claro, a maravilha dos tempos modernos. Movidos a vapor, levavam mais de 2 minutos para chegar ao oitavo andar. Pode parecer pouco, mas dentro daquela caixinha 2 minutos são uma eternidade. Hoje há equipamentos que percorrem 100 andares em 1 minuto e os homens continuam estudando maneiras de subir cada vez mais rápido.

COMO FAZÍAMOS SEM...
MÓVEIS

CASAS comuns pareciam salões de festas até o século XVII. Elas quase não tinham divisões de cômodos e contavam com pouquíssimos móveis. E, muitas vezes, a falta de decoração nem era por falta de dinheiro, mas por não haver opções mesmo. Muitas das coisas que nos parecem importantíssimas hoje em dia, como armários, não tinham sido inventadas até então.

Roupas e objetos pessoais (que também não eram lá tão numerosos) eram guardados em cestos. No Brasil, também havia o costume de fazer cabides usando chifres de bois e pendurá-los na parede. Os vestidos e camisas ficavam expostos, como se

A cama fazia parte do dote das moças.

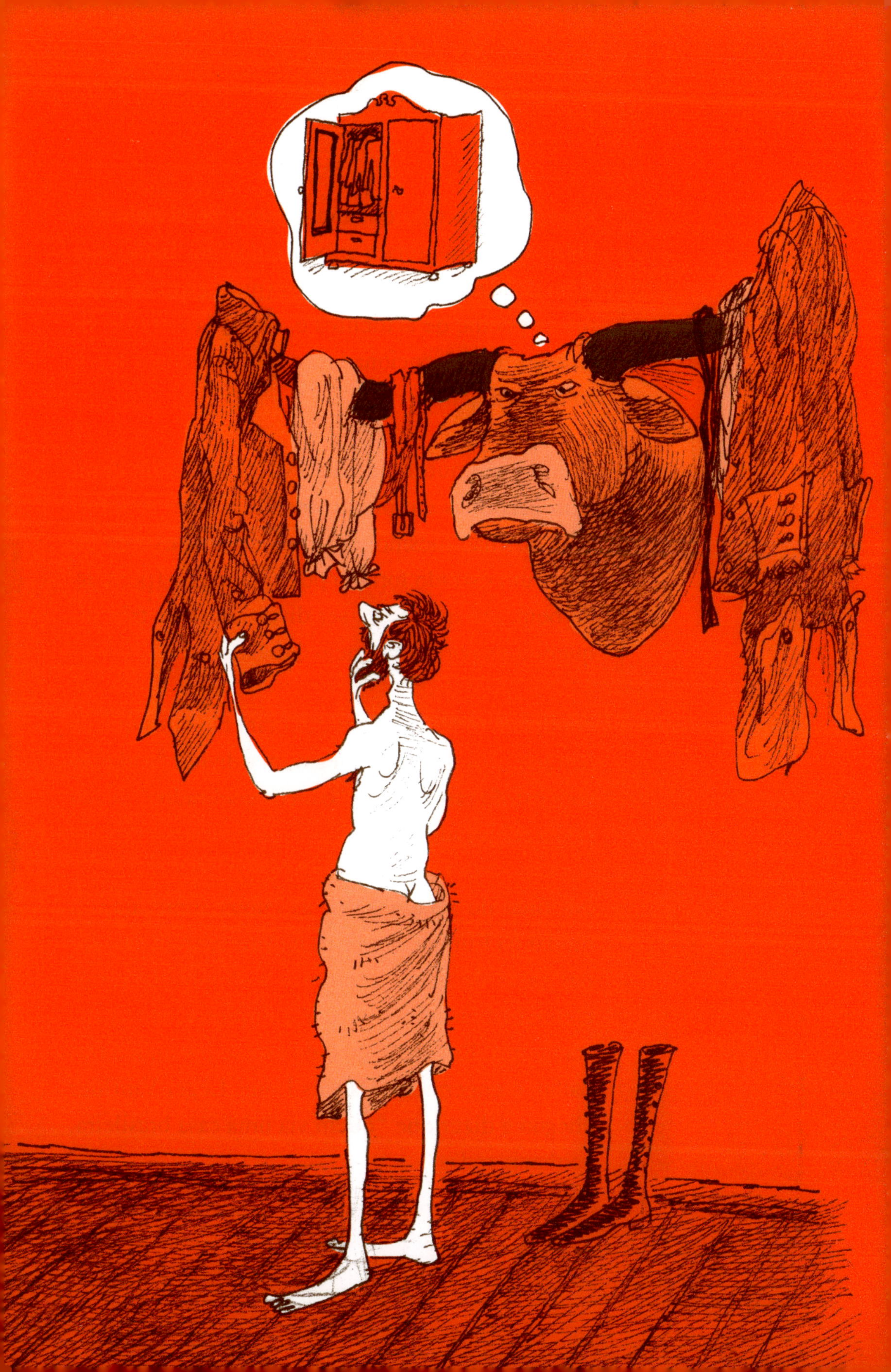

fossem algum tipo de obra de arte. Só lá pelo ano 1800, os cestos foram substituídos por baús, que além de serem mais eficientes (protegiam os objetos da poeira, de acidentes e, claro, da vista de visitantes mal-intencionados) também podiam servir como lugar para sentar.

Mesas eram outra raridade. As que existiam eram bem baixinhas e o mais comum era fazer as refeições no chão mesmo, em cima de uma esteira ou sobre um estrado forrado por uma toalha (pensando bem, até que devia ser divertido fazer três piqueniques por dia no meio da sala).

No Brasil, todos esses artigos eram tão raros que os testamentos da época chegavam a dividir "cadeiras com estofo rasgado" ou "bancos quebrados". Nada podia ser jogado fora.

No final do século XVII, as coisas começaram a mudar na Europa. Por lá, os móveis apareceram até nas casas de gente comum e a simplicidade dos cômodos brasileiros passou a impressionar os estrangeiros. Em 1839, quando esteve por aqui a trabalho, o engenheiro francês Louis Lèger Vauthier chegou a dizer que "quem via uma casa brasileira, conhecia todas".

Aqui os cômodos costumavam ter mais de uma função. Podiam servir de sala de jantar e quarto, por exemplo. Por isso, o costume indígena de dormir em redes logo se espalhou. Além de serem mais confortáveis que os colchões de palha, as redes também podiam ser retiradas com facilidade na hora das refeições. As camas – que apareceram ainda no ano 1500 a.C., mas não tinham colchão nessa época – eram um luxo para poucos e chegavam a fazer parte do dote de moças.

A falta de cama não era um problema tão grave, a menos que você tivesse que receber uma pessoa ilustre. Nesse caso, encontrar um leito era fundamental. Em 1620, quando São Paulo estava para receber a visita de um ouvidor vindo de Portugal, as autoridades perceberam que não tinham cama para hospedá-lo. O jeito foi sair atrás de quem pudesse emprestar. Só que a única cama que havia na cidade era de um carpinteiro que não se interessou nem um pouco por agradar ao ouvidor. Os responsáveis pela visita não tiveram dúvidas: confiscaram à força a cama do trabalhador pelo tempo em que o português esteve na cidade. Terminada a visita, os oficiais paulistas tentaram devolver a cama ao dono, mas ele se recusou a aceitar o móvel de volta e entrou na justiça contra o governo.

QUE GUARDAR A ROUPA QUE NADA!

Apesar de servirem a propósitos bem pacíficos, os armários verticais – como usamos hoje – foram criados para guardar espingardas. Inclusive, foi por causa da arma que o móvel ganhou esse nome. Só no século XX, com a necessidade de aproveitar o espaço no interior das casas, esse tipo de armário ganhou a popularidade que tem hoje e ganhou o nome guarda-roupa.

COMO FAZÍAMOS SEM...
VASO SANITÁRIO

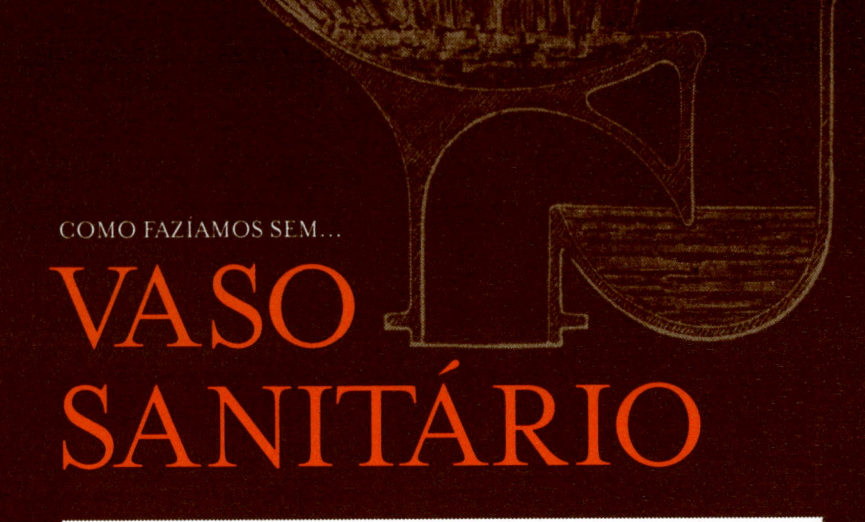

ISSO já deve ter acontecido com você: no meio de uma viagem, dá aquela vontade de ir ao banheiro. A próxima parada fica a mais de 50 quilômetros e você sabe que não consegue aguentar nem mais 5 minutos antes que uma catástrofe aconteça. O jeito é pedir que parem o carro e se aliviar no matinho mesmo.

Pois o matinho era a privada de nossos antepassa--dos. Lá pelo século XVIII, quando as cidades começaram a crescer e já não havia tanto mato por perto, a solução foi usar baldes. E é por isso que os maiores beneficiados com a invenção de privadas não foram os que estavam com vontade de usar o toalete

Os dejetos iam do balde direto para a rua.

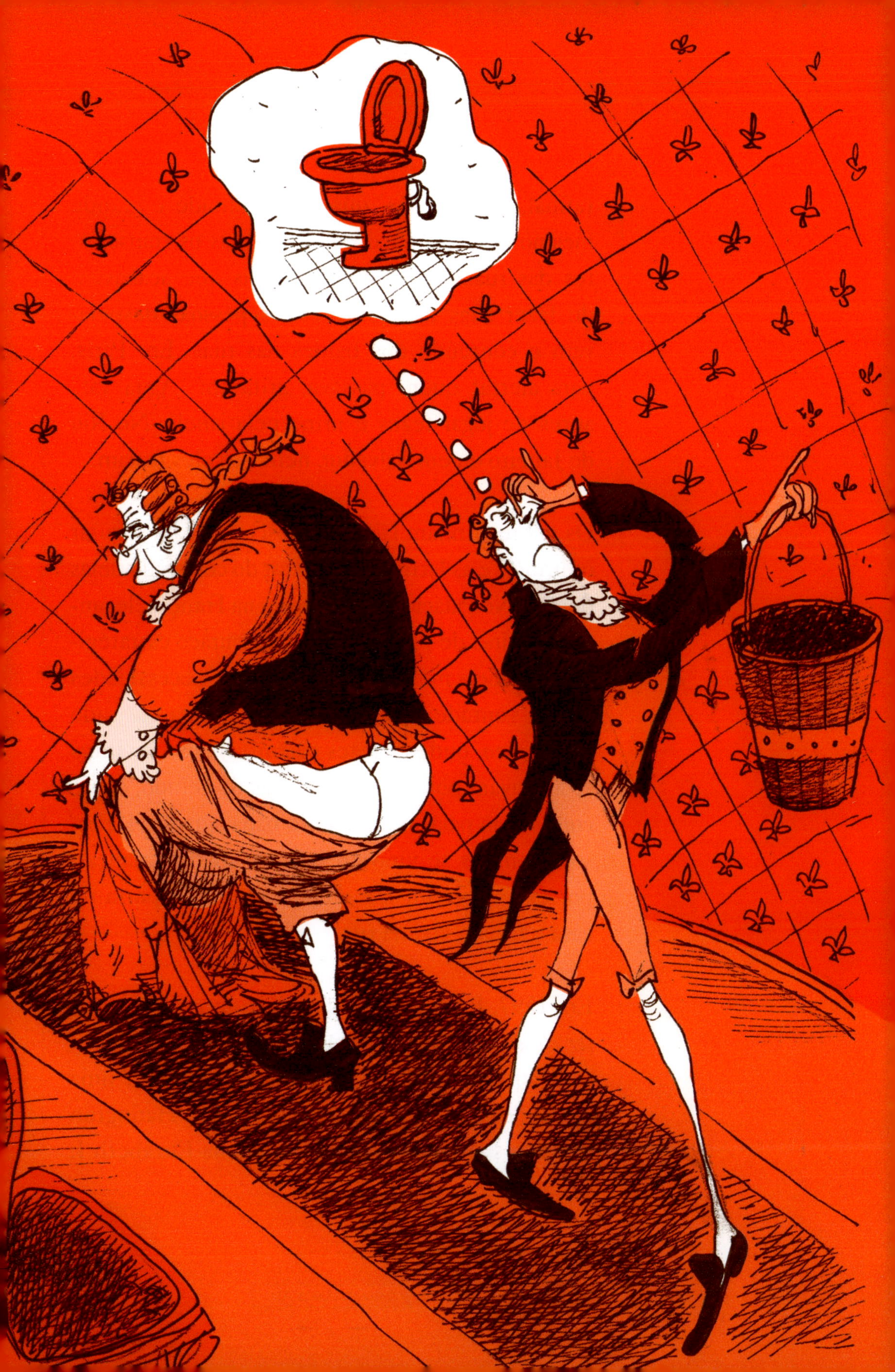

(afinal, cá para nós, quando a vontade é grande mesmo o lugar pouco importa), mas os transeuntes das ruas das capitais. Depois que acabavam de fazer suas necessidades, as pessoas despejavam o conteúdo dos baldes nas ruas. Em Paris, para alertar quem passava, gritavam "Água vá!" antes de jogar fezes e urina pela janela. No Rio de Janeiro ou em Salvador, nem isso eles faziam.

Os nobres tinham lacaios ou escravos para segurar os urinóis e as latrinas e se livrar do conteúdo delas depois. No Palácio de Versalhes, na França, elegantes cadeiras de palha tinham um buraco estratégico para que a monarquia fizesse suas necessidades bem à vontade (embaixo do buraco era colocado um penico, onde as fezes caiam!). Já os visitantes se aliviavam por trás das cortinas de veludo, o que conferia ao palácio um cheiro nada agradável. Pessoas comuns se viravam como podiam. Crianças, por exemplo, iam tranquilamente até a porta de casa e faziam xixi na rua.

Em 1597, John Harington construiu um WC (*water closet*, em inglês, ou armário de água, em português) que tinha um assento de madeira, uma caixa-d'água e uma válvula de descarga. Harington instalou sua obra-prima para a rainha Elizabeth I, no palácio de Richmond. Mas, sem encanamentos ou rede de esgoto, o destino das obras reais era o mesmo do de qualquer outro cidadão: a rua.

Com o tempo, os governantes perceberam que tanta falta de higiene levava doenças à população e passaram a investir em sistemas de encanamento. Enquanto eles não ficavam prontos, a solução era improvisar. Em Batatais, interior de São Paulo, uma carroça revestida de zinco passava de casa em casa recolhendo os excrementos. Mas isso de três em três dias. Entre uma visita e outra da carroça, as pessoas tinham que descolar um cantinho na casa para armazenar aquele monte de... bem, você sabe o quê. Imagine morar numa casa onde alguém estava com dor de barriga nessa época!

Já na Europa, sistemas de encanamento começaram a funcionar em 1850, permitindo o escoamento das águas do WC direto para o subterrâneo. Apesar do destino das fezes não ser muito inspirador, o prefeito Georges-Eugène Haussmann conseguiu formular uma ideia bastante poética quando os encanamentos parisienses foram inaugurados. "As galerias subterrâneas são os órgãos da cidade. Vão trabalhar da mesma maneira que os órgãos humanos, mas sem serem reveladas."

ESSA PRIVADA É VELHA

Durante séculos, John Harington levou o crédito de inventor do WC. Mas, em julho de 2000, uma notícia mostrou que estávamos enganados. Arqueólogos encontraram um vaso sanitário bem parecido com os de hoje na sepultura de um rei chinês, enterrado há 2 mil anos. O vaso tem assento de pedra, água corrente e descanso para os braços.

COMO FAZÍAMOS SEM…
VENTILADOR E CALEFAÇÃO

Leques para refrescar e esterco para aquecer.

T E N T E imaginar como seria passar o verão inteiro numa cidade como o Rio de Janeiro ou em alguma praia do nordeste sem um único ventilador dentro de casa. Terrível, né? Agora imagine enfrentar um inverno europeu, desses com neve, gelo e temperaturas abaixo de zero, sem nenhum sistema de ar quente dentro de casa. Pior ainda, certo? Pois durante muitos séculos foi exatamente assim que nossos antepassados tiveram que enfrentar seus verões e invernos.

Para o calor, a solução era se abanar. Qualquer material podia ser usado e, quanto mais mãos abanando, melhor. Assim, nobres egípcios e assírios tinham

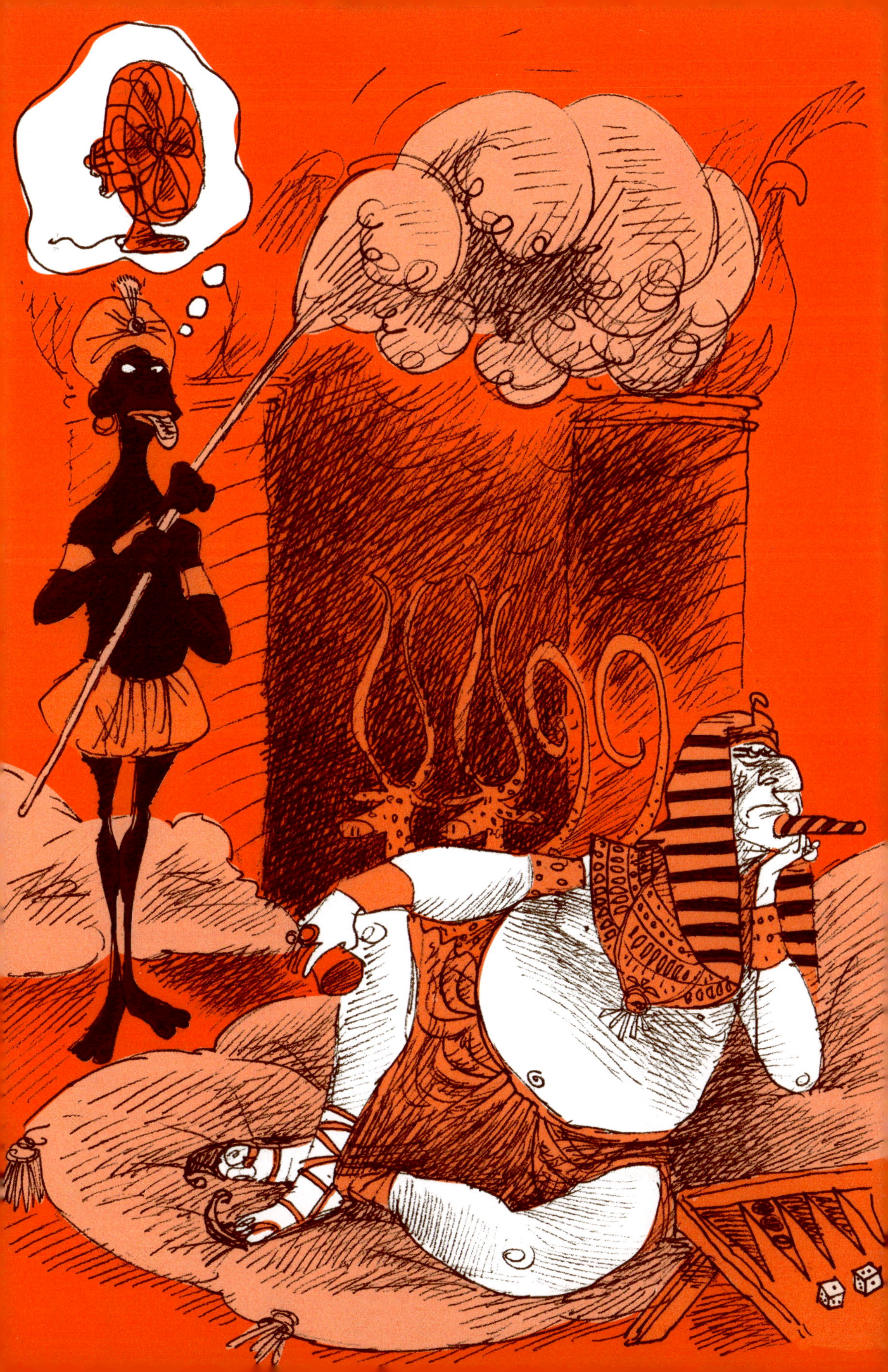

o hábito de contratar escravos para os seguirem balançando enormes folhas de árvore. Quem não podia bancar tanta mordomia se contentava com leques, que foram inventados na China e no Japão mais ou menos no século VI a.C.

Sem ventiladores que pudessem funcionar longe do "motor humano", construir casas era um problema. Para refrescar a situação, janelas passaram a ser cobertas por treliças de madeira (no lugar de vidros, por exemplo), que deixavam passar um pouco de vento, mas impediam que quem estivesse passando pela rua enxergasse o que estava acontecendo dentro de casa. Mesmo assim, em dias de calor brabo as pessoas costumavam ir dormir do lado de fora, em redes na varanda.

Se casas já eram um problema, imagine planejar ambientes grandes e fechados, como teatros. Quando construíram o Teatro da Paz, na capital do Pará, em 1868, os arquitetos tiveram de desenvolver um sistema de ventilação especial. Sem isso, seria impossível ver ou apresentar qualquer espetáculo no teatro cheio de gente em uma cidade tão quente quanto Belém. Assim, criou-se um ventilador manual que era movido sobre o forro do teto. As saídas de ar ficavam embaixo das cadeiras e, todas as noites em que havia espetáculo, alguém colocava a invenção para funcionar. Outra medida anticalor foi fazer os assentos de palha. Se fossem de couro ou tecido, os espectadores iam passar a noite inteira suando nas pernas.

Com certeza foi esse calor tropical que motivou Américo Cincinatto Lopes a criar seu ventilador doméstico. Ele registrou a invenção no Rio de Janeiro, em 1883, seis anos antes do projeto que George Westinghouse desenvolveu nos Estados Unidos – e que ficou famoso como o primeiro exemplar de ventilador do mundo.

Já nos países europeus, o problema era oposto. Para enfrentar invernos rigorosos, as pessoas costumavam queimar lenha, carvão e palha para esquentar as casas e os mais pobres chegavam a usar esterco, que queimava muito bem, mas obviamente exalava um cheiro detestável.

Durante a noite, a solução era dormir perto dos fogões a lenha. Ricos usavam um tipo de cobertor de metal, recheado com brasas e colocado entre os lençóis antes que a pessoa fosse dormir. Já os mais pobres dormiam nos estábulos e se esquentavam junto ao corpo dos animais.

QUEM INVENTOU O AR-CONDICIONADO?

Essa maravilha só apareceu em 1906, quando o americano Willis Carrier tentava resolver o problema de uma gráfica. A empresa tinha problemas para imprimir durante o verão, já que a umidade do ar atrapalhava a fixação das cores no papel. Ao criar um aparelho capaz de retirar a umidade do ambiente, Carrier fez o verão de todos nós muito mais gostoso.

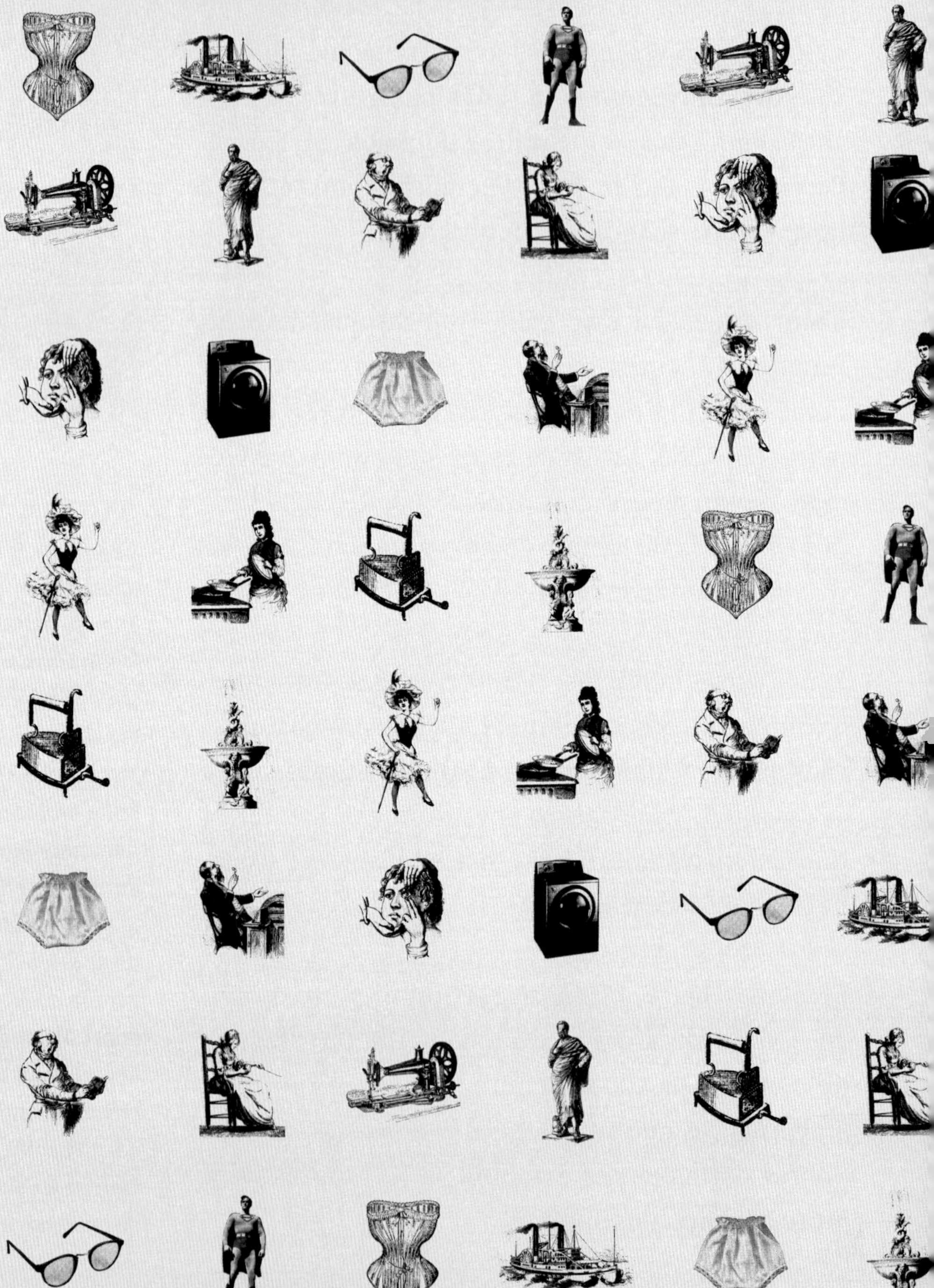

ROUPAS E ACESSÓRIOS

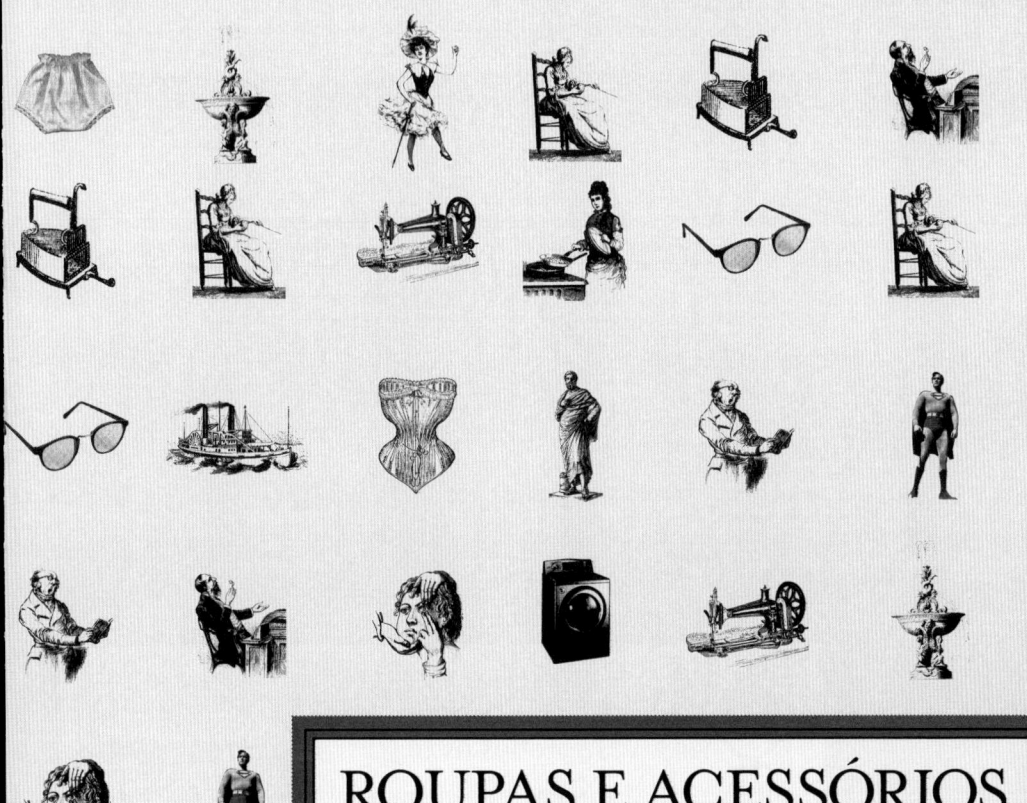

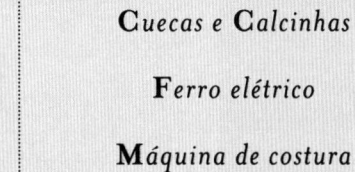

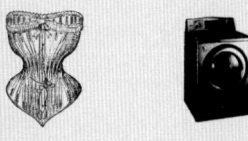

Cuecas e Calcinhas

Ferro elétrico

Máquina de costura

Óculos

Sabão e Máquina de lavar

CUECAS E CALCINHAS

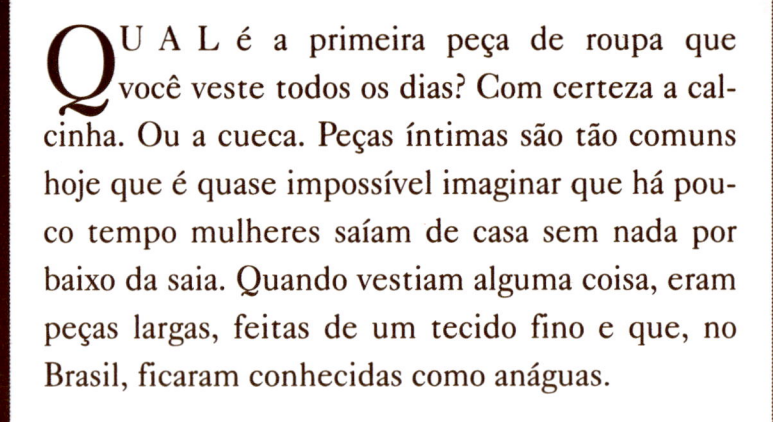

QUAL é a primeira peça de roupa que você veste todos os dias? Com certeza a calcinha. Ou a cueca. Peças íntimas são tão comuns hoje que é quase impossível imaginar que há pouco tempo mulheres saíam de casa sem nada por baixo da saia. Quando vestiam alguma coisa, eram peças largas, feitas de um tecido fino e que, no Brasil, ficaram conhecidas como anáguas.

As roupas femininas íntimas ajustadas ao corpo, como conhecemos hoje, são um invento bastante recente e, mesmo depois de terem sido inventadas, não eram usadas por todo mundo. Nos anos 1700, por exemplo, calcinhas eram consideradas

Cueca por cima da calça não é invenção do Super-Homem.

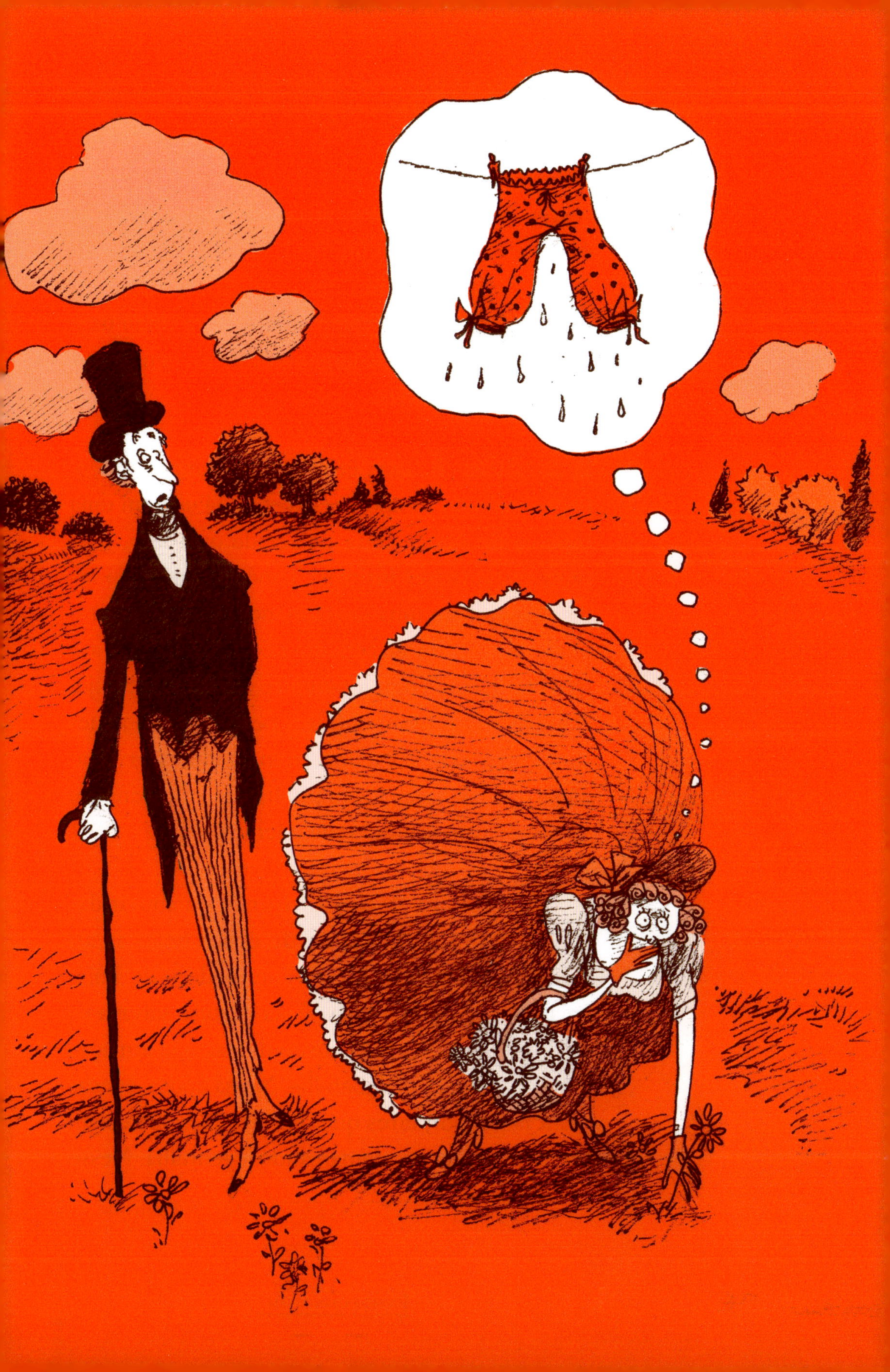

vestes de prostitutas e atrizes (palavras que, na época, eram quase sinônimos). O máximo que mulheres de bem usavam era uma espécie de calça que ficou conhecida como culote – era como uma calça cigarrete, só que larga na parte de cima e justa apenas nas pernas.

Já a cueca é um costume bastante antigo. Os homens do tempo das cavernas já usavam uma espécie de fralda, feita de tecido ou couro, para proteger as partes íntimas. Tribos africanas ou indígenas tinham uma outra maneira de esconder o pênis: enrolavam-no com um pedaço de tecido, até que ele tivesse completamente coberto. Até hoje, algumas tribos usam enfeites penianos como cueca. É o caso dos zo'és, uma tribo de índios da Amazônia que não aparece em público de jeito nenhum se não estiver usando o seu adereço.

No ano 1300, os cavaleiros tiveram de abusar das cuecas. É que o uniforme da época eram as armaduras de metal e só um bom pedaço de linho amarrado entre as pernas e na cintura salvava-os da dor de ter o pênis encostando naquela armação de ferro durante uma batalha. Nessa época, cuecas eram tão importantes que muitas vezes apareciam por cima da roupa, demarcando a genitália. Nesse caso, elas incluíam até mesmo algum tipo de sistema abre e fecha. Assim, quando batia a vontade de ir ao banheiro, os homens não precisavam tirar toda a roupa para se aliviar. Bastava abrir o botãozinho da cueca exterior.

Com o tempo, tanto exibicionismo saiu de moda e os homens (principalmente os que viviam em países frios) trocaram os pequenos pedaços de pano pelos "macacões de meia", um macacão feito com um algodão fininho, que cobria todo o corpo.

No Brasil, que era bastante quente, a moda era a ceroula, uma cueca que ia da cintura até o tornozelo. Tanto o macacão quanto a ceroula ajudavam a esquentar e impediam que o suor do corpo chegasse às roupas – que não eram lavadas com tanta frequência. Essas peças íntimas também serviam para proteger a pele, já que os tecidos das roupas não eram tão macios quanto os de hoje.

Ou seja, até 1930 mais ou menos, qualquer roupa íntima tinha apenas um propósito: ser útil. Hoje, isso mudou. Calcinhas e cuecas passaram a ser vistas como um item de moda e procuram mostrar um pouco a personalidade da pessoa que as escolhe. Opção é o que não falta.

E SEM SUTIÃS?
As mulheres usavam espartilhos. Eles seguravam os seios e moldavam o corpo – a moda era ter a cintura bem fina. Eram tão apertados que faziam as mulheres desmaiar. Em 1859, ao anunciar a morte de uma jovem, um jornal de Paris contou que a causa foi a perfuração do fígado por três costelas. "Eis como se morre aos 23 anos. Não de tifo nem de parto, mas por causa do espartilho."

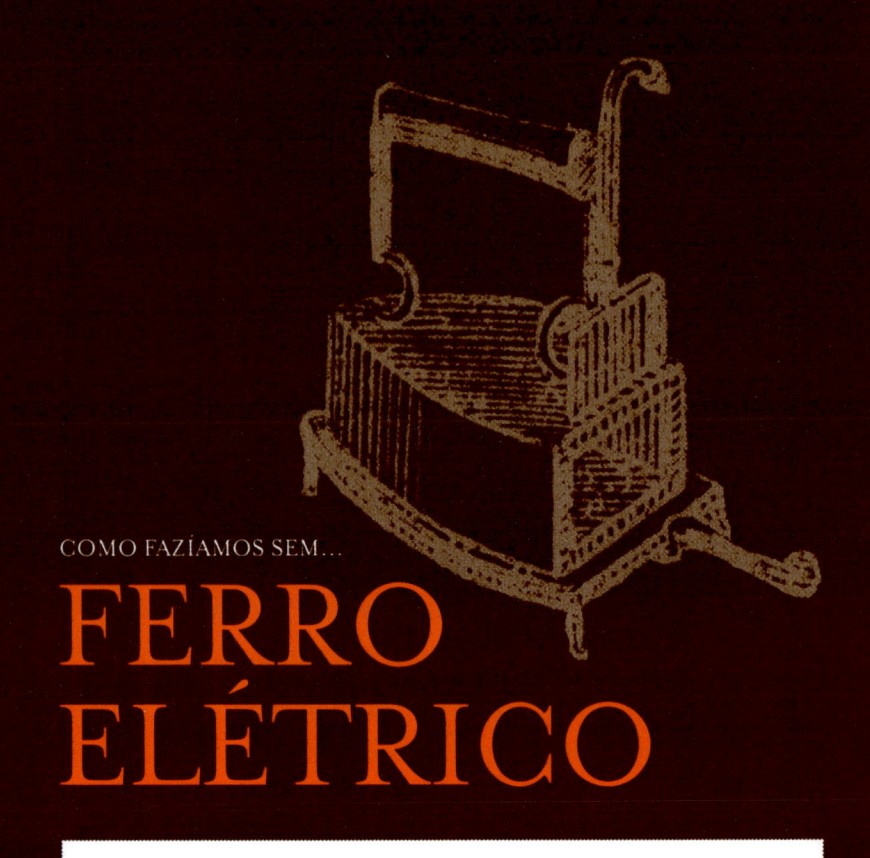

COMO FAZÍAMOS SEM...
FERRO ELÉTRICO

Nossas bisavós esquentavam o ferro no fogão.

DEIXAR calças, camisas e vestidos tão esticadinhos quanto mandava a moda dos anos 1800 era uma tarefa que exigia paciência, força e muita atenção das passadeiras.

Antes da eletricidade, a maioria dos ferros tinha uma portinhola na parte de cima que servia para colocar brasas quentes. Para não deixar que elas se apagassem, era preciso balançar o ferro de tempos em tempos, fazendo-o ventilar e assim aumentando o fogo da brasa. E isso numa época em que os ferros eram feitos de ferro mesmo! Ou seja, era preciso balançar pelo menos cinco quilos de um lado para o outro para manter o aparelho "ligado".

ROUPAS E ACESSÓRIOS

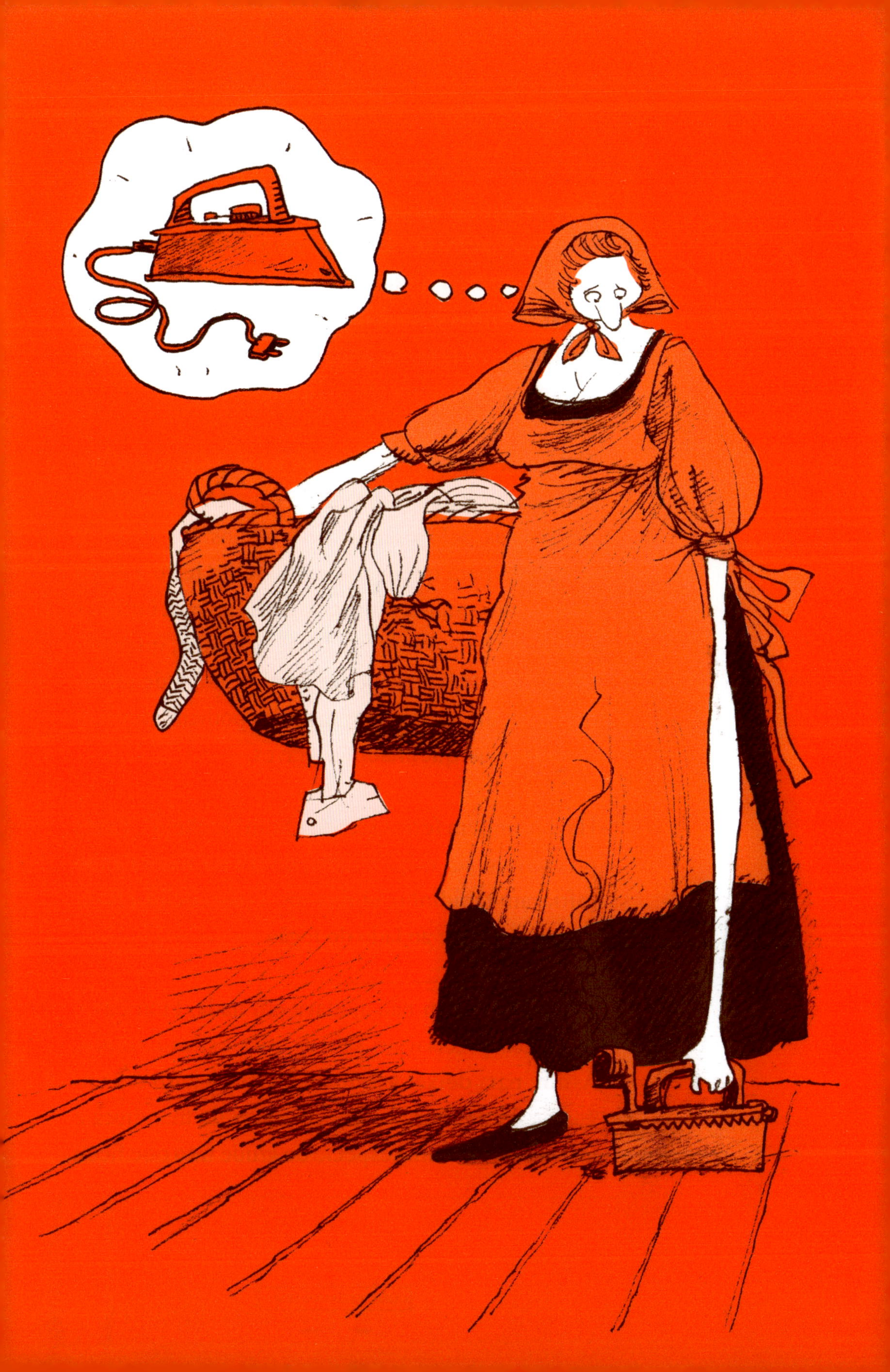

Para dificultar ainda mais a vida das passadeiras, elas precisavam ter cuidado para não deixar a brasa quente demais, já que, nesse caso, ela costumava soltar fagulhas e acabava queimando a roupa. Agora, imagine o que era encontrar a temperatura certa sem um termômetro indicador!

Todo esse sistema parece tão retrógrado que é difícil imaginar que ferros assim estavam à venda em várias lojas pelo mundo pelo menos até 1902. E as opções para quem não gostasse do ferro a brasa eram, claro, muito piores. Alguns usavam líquidos combustíveis no lugar da brasa (gasolina, querosene ou óleo de baleia, por exemplo). Além de gastarem mais dinheiro, esses modelos podiam provocar incêndios ou queimaduras graves.

Havia também ferros sem nenhum "recheio". Esses precisavam ser esquentados direto no fogo. Como esfriavam rapidinho, obrigavam a passadeira a fazer a tarefa sempre ao lado do fogão.

A moda também não ajudava em nada. Homens e mulheres precisavam sair de casa esticadíssimos. Assim, para deixar a roupa bem lisa, o jeito era engomar. As mulheres usavam farinha de mandioca e água para fazer uma espécie de grude fino que ficou conhecido como goma (daí a expressão "engomar a roupa"). Depois de seca, a peça era mergulhada em uma bacia que continha água e um pouco da goma e colocada ao sol novamente. Algumas mulheres também espalhavam cera de vela para dar mais brilho aos vestidos.

Passar roupa era uma tarefa tão complicada que podia se dividir em várias categorias. "Meter o ferro" era a expressão usada quando o serviço era passar muita roupa, como lençóis ou toalhas. "Bater o ferro" era passar uma roupa cheia de pregas, que exigia muita força no braço. "Passar a ferro" era alisar roupa sem goma, como ainda dizemos hoje. E "brunir" era engomar até que a roupa ficasse dura e brilhante. Para isso era usada uma ferramenta específica, chamada brunidor. Em geral, só colarinhos, punhos e camisas masculinas especiais recebiam esse tratamento.

O primeiro ferro elétrico só foi aparecer em 1882. Ele pesava mais de seis quilos e demorava muito para esquentar. O utensílio começou a se espalhar pelo Brasil a partir de 1930, melhorando bastante a vida das donas de casa. A moda também ajudou. Hoje, nem os tecidos nem as tendências exigem roupas tão esticadinhas assim.

E SEM FERROS?
A vida das passadeiras era dura até a invenção do ferro elétrico, mas lá pelo ano 900, quando nem o ferro a brasa tinha sido criado, a coisa era ainda pior. As donas de casa usavam uma "pedra alisadora", que devia ser pressionada com muita força contra o tecido. O único calor que elas usavam vinha do trabalho de fricção para a frente e para trás.

COMO FAZÍAMOS SEM...

MÁQUINA DE COSTURA

Costurar sempre foi um trabalho artesanal.

NÃO era nada fácil ser bem-vestido no Brasil até o começo do século XX. Passar as roupas, como você viu no capítulo anterior, era um sofrimento. Mas pior que isso era a tarefa de confeccionar essas roupas! Cada peça, desde as mais simples até as mais elaboradas, tinha de ser feita manualmente. Do começo ao fim. O primeiro passo era fabricar o tecido. No Brasil, o mais abundante era o algodão. Depois vinha o corte e a costura e, finalmente, os enfeites. É claro que o trabalho acabava caindo nas mãos dos escravos e dos empregados. Eles passavam o dia cuidando da roupa dos patrões e usavam vestes feitas de um tecido bem grosseiro, sem nenhum adorno.

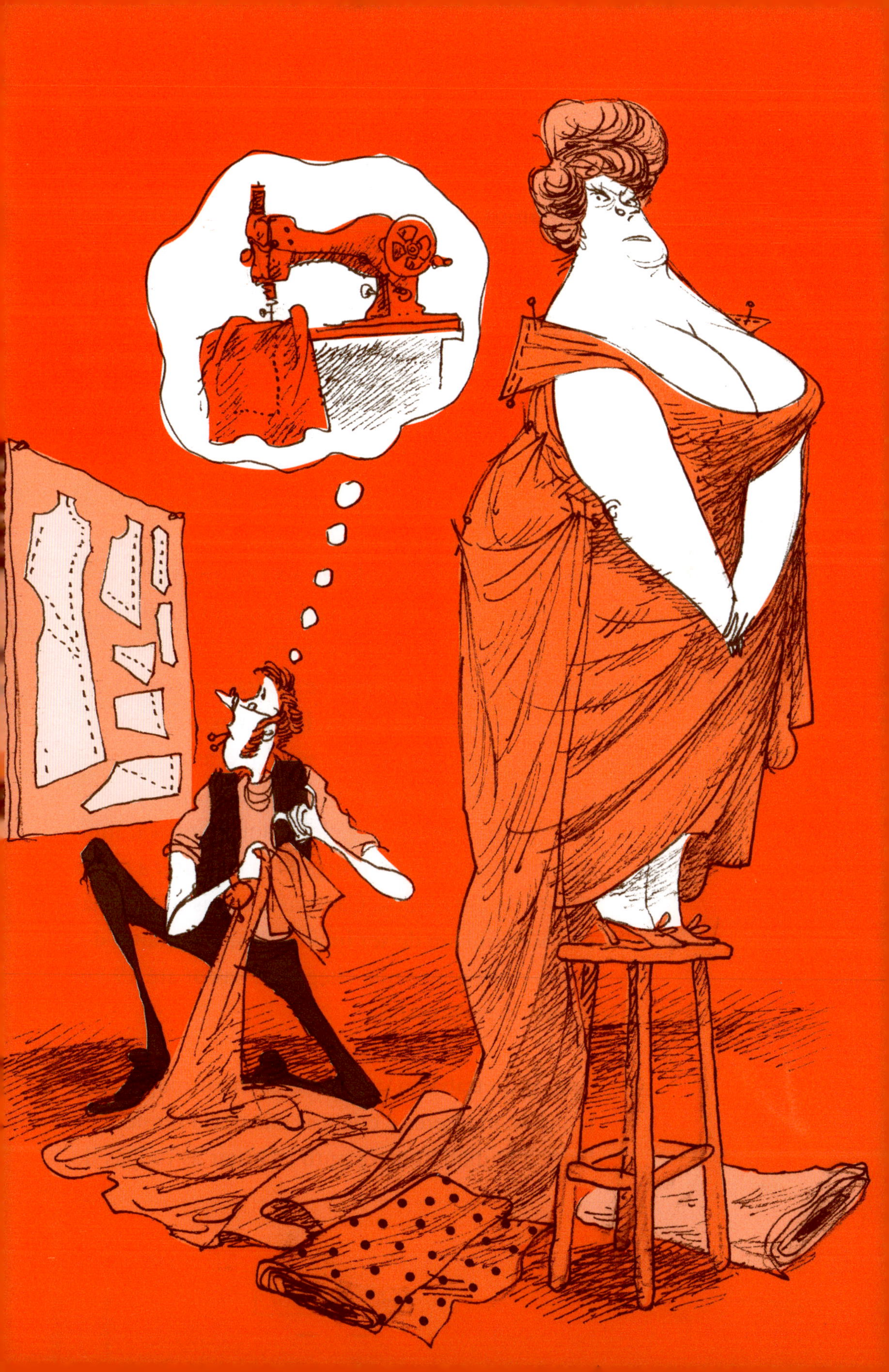

Na Europa, já era possível comprar tecidos no século XVIII (a maior parte vinha das Índias ou da Ásia), o que eliminava uma parte bem desgastante do processo. Nessa época, os europeus também já contavam com outra modernidade: as "fazedoras de vestidos" e os "alfaiates" (é assim que os costureiros de roupas masculinas são chamados).

A moda europeia exigia enormes vestidos com armação de ferro por baixo da saia. Isso significava uma grande quantidade de tecido, pregas delicadíssimas, rendas e dezenas de babados. Pior que isso, só quando a freguesa queria incluir bordados. Cada pedrinha (geralmente pedras preciosas) era bordada à mão, uma a uma. Hoje já existem máquinas capazes de fazer esse serviço e as costureiras que mantêm a tradição do bordado à mão podem cobrar uma fortuna por ele. Naquela época, muitos empregados eram obrigados a executar a tarefa para lá de enfadonha. Camisas e calças masculinas também tinham de ser impecáveis. Com tanto detalhe, tinha gente que chegava a passar até 19 horas por dia costurando.

Apesar do trabalho que dava, costurar roupas para homens, mulheres e crianças não devia ser nem de longe tão monótono quanto costurar as roupas de cama, as almofadas, as toalhas e os colchões. Tudo isso era feito dentro de casa e com a agulha em punho! Haja paciência, não?

Sapatos eram mais trabalhosos ainda. Por isso, antes da Revolução Industrial (quando eles se tornaram comuns), as pessoas tinham apenas um ou dois pares. E para dias de festa. Para economizá-los havia quem saísse de casa descalço e colocasse o sapato no local do evento. No dia a dia, usava-se sandálias, que davam menos trabalho para fazer.

No Brasil, também economizávamos nas roupas. As mais elegantes eram chamadas de "vestes de missa" e eram usadas só para ir à igreja (a ocasião mais refinada na época do Brasil Colônia).

A primeira máquina de costura foi desenhada em 1790 pelo americano Thomas Saint, mas muitos historiadores acreditam que o projeto nunca saiu do papel. A máquina que realmente ficou famosa foi patenteada pelo alemão Isaac Singer, em 1857 (seu sobrenome virou sinônimo do instrumento por muitos anos). Os primeiros modelos eram movidos por um motor a gás, faziam um barulhão e não eram muito seguros. Ainda assim, eram preferíveis ao trabalho de coser à mão.

SEM MÁQUINA E SEM ROUPA

Os gregos, que sempre foram mais espertos, inventaram uma moda bem prática. As túnicas, que é o nome dado aos vestidos daquela época, usados por mulheres e homens, só precisavam de um pedaço de tecido. Eles desenvolveram várias técnicas para prender o pano ao corpo e quando precisavam de alguma ajuda usavam um único alfinete.

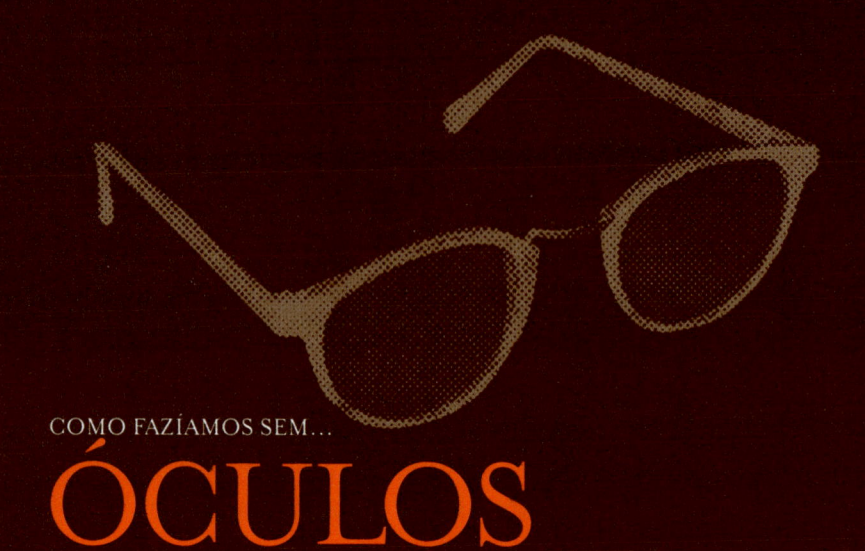

COMO FAZÍAMOS SEM...
ÓCULOS

Para os espanhóis, usar óculos era sinal de status.

T R Ê S graus de miopia. Hoje, um diagnóstico como esse é bobagem. Afinal, você pode viver normalmente usando um par de óculos. Mas, há alguns séculos, um problema de visão assim era sinônimo de aposentadoria. O senador romano Marcus Tulius Cícero, por exemplo, quase perdeu o emprego quando a idade o impediu de ler sozinho. Como tinha dinheiro, Cícero resolveu o problema do jeito que se fazia na época: comprou escravos que pudessem ler para ele.

As primeiras lentes de que se tem notícia apareceram no ano 500 a.C., na China, mas elas eram usadas apenas como amuleto. Acreditava-se que

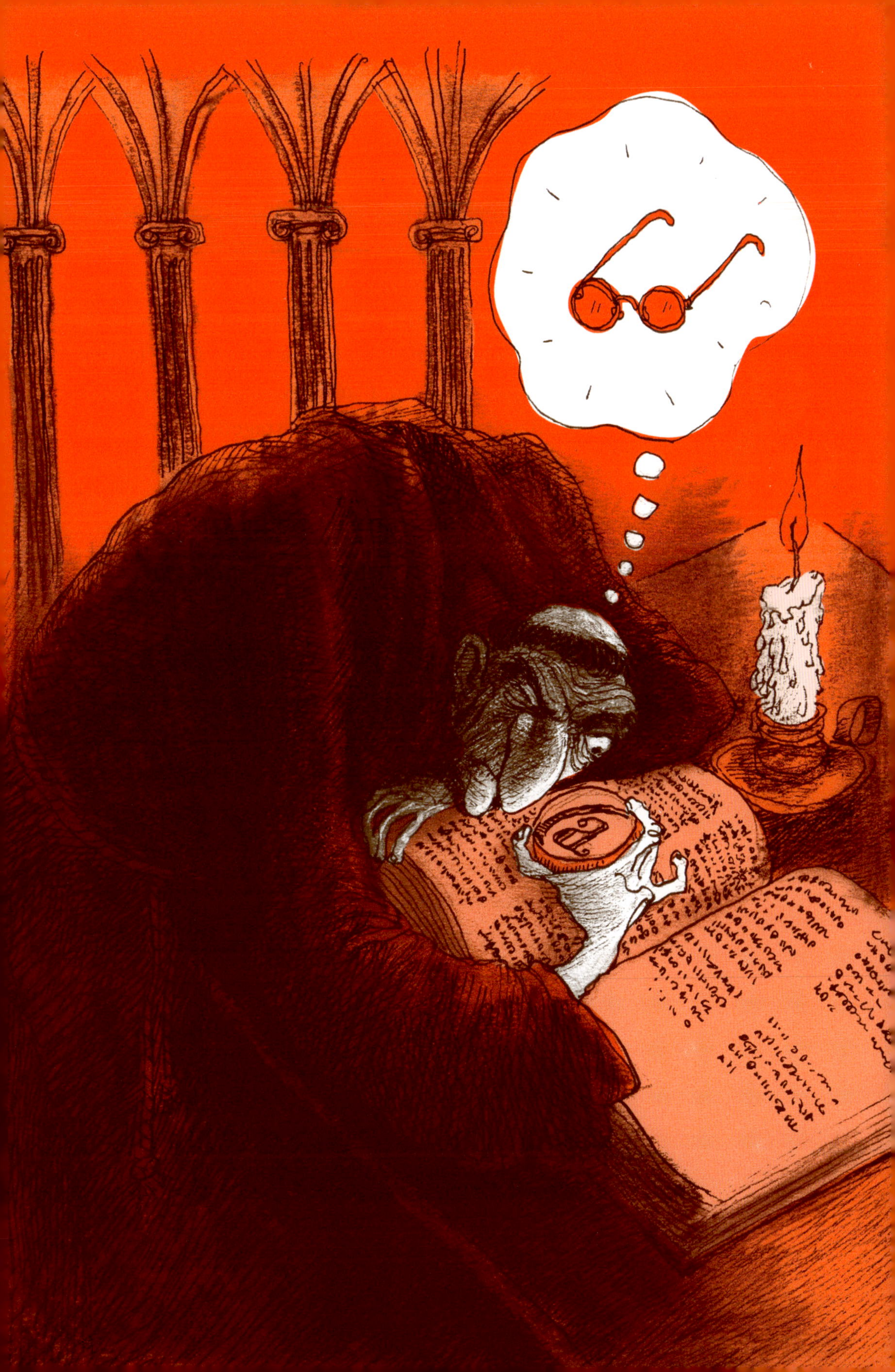

O PROBLEMA É SEU

As chances de você não se tornar um quatro-olhos na vida é quase zero. A qualidade da nossa visão começa a piorar a partir dos 25 anos e, ao chegar aos 40, as pessoas já costumam precisar dos primeiros óculos — geralmente com graduação baixa, para ver de perto, os conhecidos óculos de leitura. Agora você vê a sorte que tivemos de viver nos anos 2000...

os problemas de visão eram culpa de espíritos malignos e as lentes serviam para proteger os olhos das energias negativas. Ainda iriam se passar centenas de anos antes de alguém perceber que as lentes podiam ter uma função bem mais prática do que apenas atrair a sorte. Antes disso, no século IV, o grego Sêneca, autor de tragédias conhecido por ter lido todos os livros que existiam na época, usava um pote com água para produzir nas letras um efeito magnificador (ou seja, torná-las maior).

Foi só lá pelo ano 1000 que as lentes apareceram na Europa. As primeiras foram chamadas de pedras de leitura. Elas foram desenvolvidas pelos monges católicos, que eram dos poucos homens alfabetizados na época. Cristal de quartzo, topázio ou berilo (por sua beleza e transparência essa pedra semipreciosa deu origem à palavra "brilho") foram lapidados para formar um semicírculo e polidos para que ficassem lisos. O resultado foi uma lupa primitiva, mas bastante eficiente, usada em cima do material que se pretendia ler.

Outras centenas de anos se passaram até que os homens tiveram a ideia de aproximar a pedra dos olhos. Ou melhor, do olho. Os primeiros modelos, no século XIV, eram feitos só para uma vista.

E quando apareceu a primeira versão de óculos para dois olhos, era bem diferente dos óculos de hoje. As armações tinham o formato de um V invertido e não ficavam apoiadas na parte de trás das orelhas. Era preciso segurá-las com as mãos ou ficar completamente imóvel, para que elas permanecessem apoiadas sobre o nariz. Nessa época, óculos também eram caríssimos, a ponto de aparecerem listados em testamentos e inventários.

Foi só em 1752 que o inglês James Ayscough criou os óculos com duas hastes laterais – o que resolveu definitivamente o problema de equilibrá-los no rosto. Ayscough era procurado por muita gente que tinha problemas para enxergar e gostava de recomendar modelos com lentes azuis ou verdes. Ele achava que as lentes transparentes refletiam muita luz e poderiam prejudicar a visão.

Apesar de terem aberto os olhos de muita gente, os óculos não pegaram de cara. Principalmente na Europa, as pessoas tinham vergonha de aparecer em público usando o acessório. A única exceção era a Espanha, onde os óculos se tornaram símbolo de *status* e entraram na moda rapidamente: as pessoas achavam que ter um objeto de vidro as deixava com um ar mais importante.

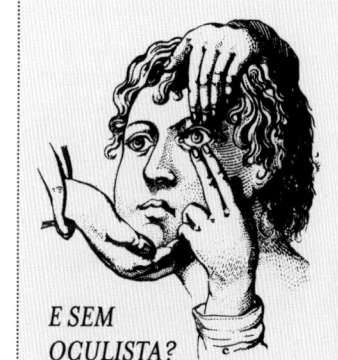

E SEM OCULISTA?

O primeiro oculista só foi oficializado em 1695 e ainda demorou duzentos anos para a profissão ser levada a sério. Antes disso, escolher um par de óculos era uma tarefa tão aleatória quanto escolher um sapato: as pessoas experimentavam todos que tinham na loja e escolhiam aquele que lhes fizessem enxergar melhor.

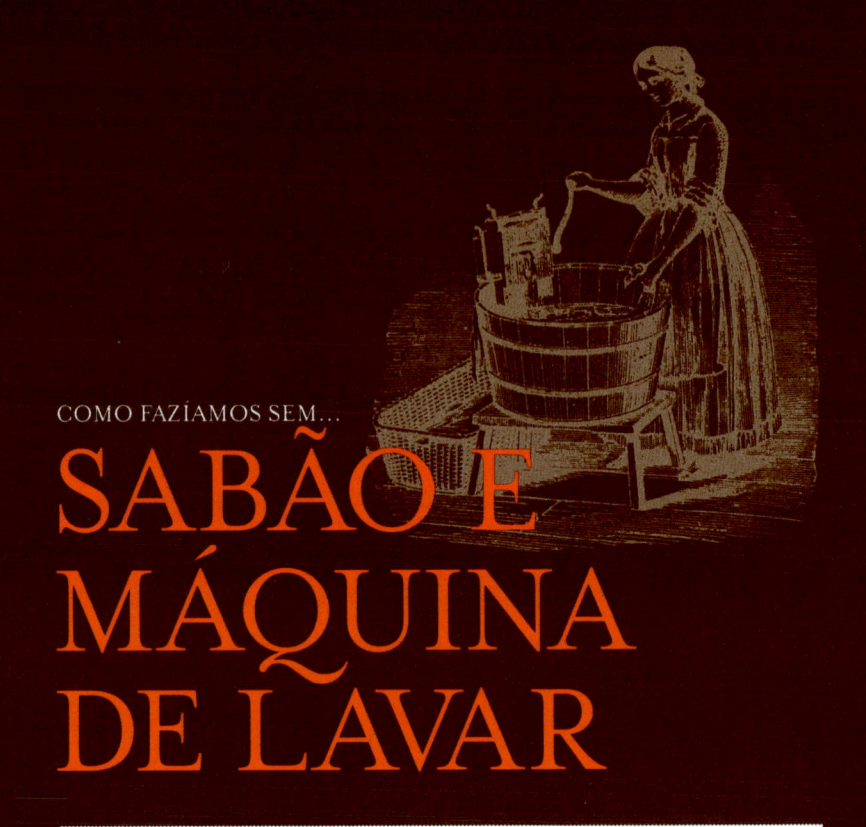

COMO FAZÍAMOS SEM...
SABÃO E MÁQUINA DE LAVAR

Os chafarizes das cidades transformavam-se em lavanderias.

IMAGINE como seria abrir a gaveta, tirar aquela camiseta limpinha que sua mãe acabou de lavar, dar uma bela respirada e sentir ah!... Que cheirinho de xixi! Pois se você tivesse nascido no ano 1400 era bem capaz de isso acontecer (a diferença é que você não teria gaveta para abrir, já que móveis eram raros nessa época).

Sabão foi um produto caro durante muito tempo e, por isso, mulheres utilizavam uma mistura de água com urina para lavar as roupas. Calma. A nojeira tem explicação científica: além de baratíssima e fácil de encontrar, urina contém amoníaco, que é ótimo para clarear a roupa.

ROUPAS E ACESSÓRIOS

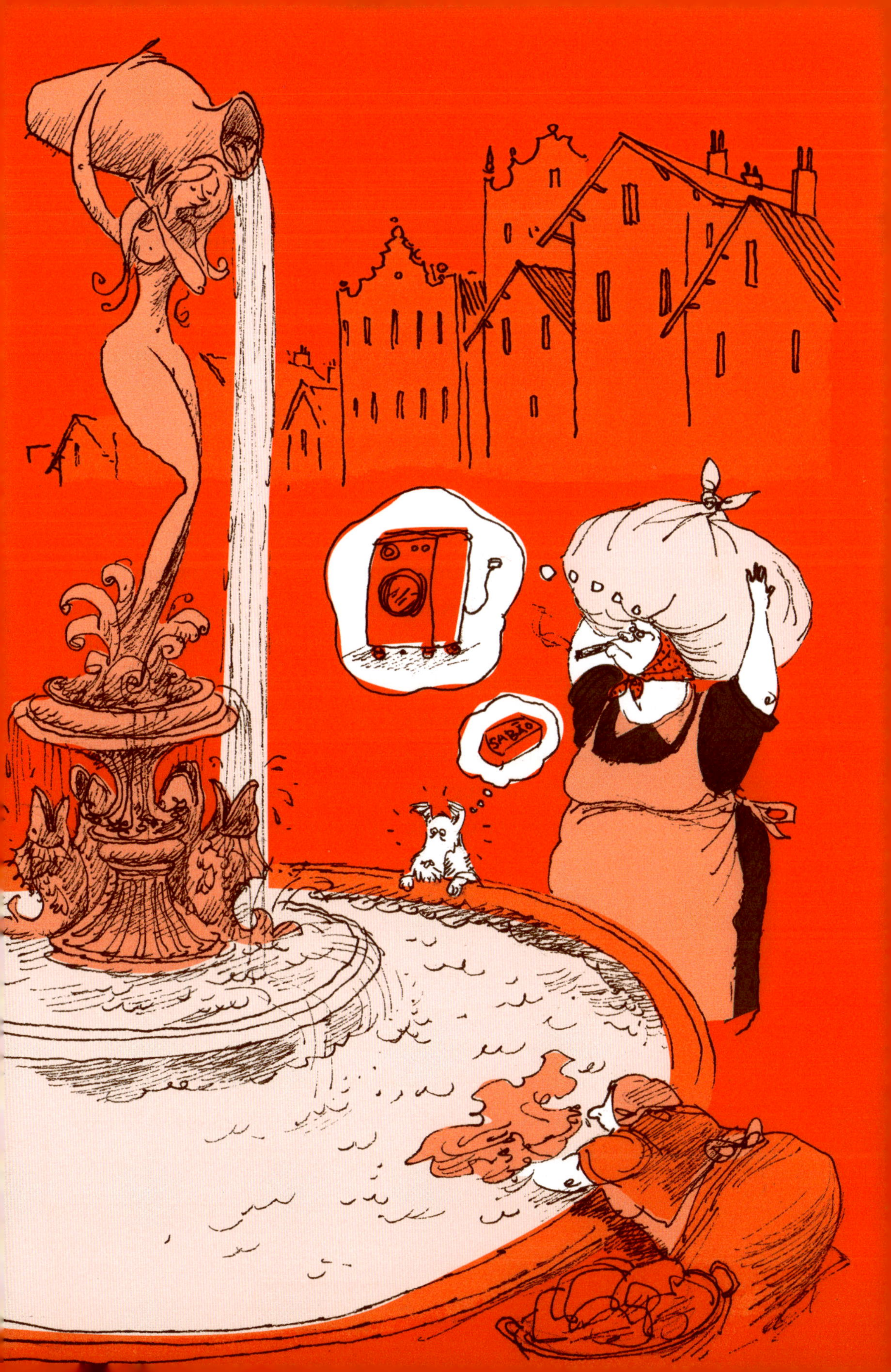
SABÃO

Quem podia fazia sabão em casa. No Brasil Colônia, os ingredientes não eram muito difíceis de encontrar: sebo (ou seja, qualquer gordura animal, retirada das vísceras de bichos como cachorros) e cinzas de vegetais. O custo alto era por causa do sebo, que, apesar de fácil de encontrar, também era necessário para tarefas tidas como mais importantes, como a fabricação de velas.

Ninguém sabe, no entanto, como o sabão foi descoberto. E, como sempre, onde há ignorância, há lendas. A mais repetida delas diz que uma chuva forte caiu sobre uma montanha chamada Mount Sapo, lavando a gordura de animais mortos em sacrifícios religiosos e as cinzas das fogueiras, que faziam parte dos rituais. As duas coisas se misturaram ao chegar no rio Tiber, na encosta do morro, e os escravos que estavam nas margens, lavando roupas, perceberam que aquela mistura estranha dispensava um bocado de esfregões.

A história é ficção pura – até o nome da montanha é imaginário –, mas dizem que ela se passou no tempo do Império Romano, ou seja, lá pelo ano 1. Só que o sabão é bem mais antigo que isso. Há registros da mistura de cinzas com gordura há pelo menos cinco mil anos e em regiões bem distantes do planeta, o que reforça a hipótese de que o sabão era conhecido por vários povos diferentes. O que se sabe com certeza é que no ano 1400, a fabricação de sabão já era intensa na Itália, França e Espanha. O animal sacrificado, em geral, era a cabra.

Mas, na hora de dar um trato na roupa, sabão não era o único problema. Num mundo sem água corrente, era quase impossível lavar qualquer coisa em casa. Assim, o mais comum era que mulheres fossem até os chafarizes, no centro das cidades, ou até os rios (um costume ainda comum no interior do Brasil). Normalmente o serviço era feito na segunda-feira – depois da sujeira oficial do fim de semana – e uma trouxa pequena costumava levar o dia inteiro para ficar limpa. Imagine que dureza!

No século XIX, apareceram as primeiras lavadoras. Elas molhavam e escorriam a roupa, mas não poupavam o trabalho de esfregar. Essa moleza dos dias de hoje (máquinas que fazem basicamennte tudo por você) só foi aparecer no século XX. Mais precisamente, em 1910, quando o americano Alva Fischer patenteou uma máquina elétrica com um motor que fazia girar um tambor onde se colocava água e sabão. Finalmente, as pessoas puderam se sujar com um pouco menos de culpa.

MELHOR QUE A MÁQUINA

Marinheiros tinham uma técnica ótima para a lavagem de roupas sujas. Eles colocavam tudo dentro de uma sacola de tecido bem resistente e amarravam-na pelo lado de fora do navio, deixando-a ser arrastada por horas. Com o avanço do barco e a força do mar, a água conseguia remover boa parte da sujeira das roupas.

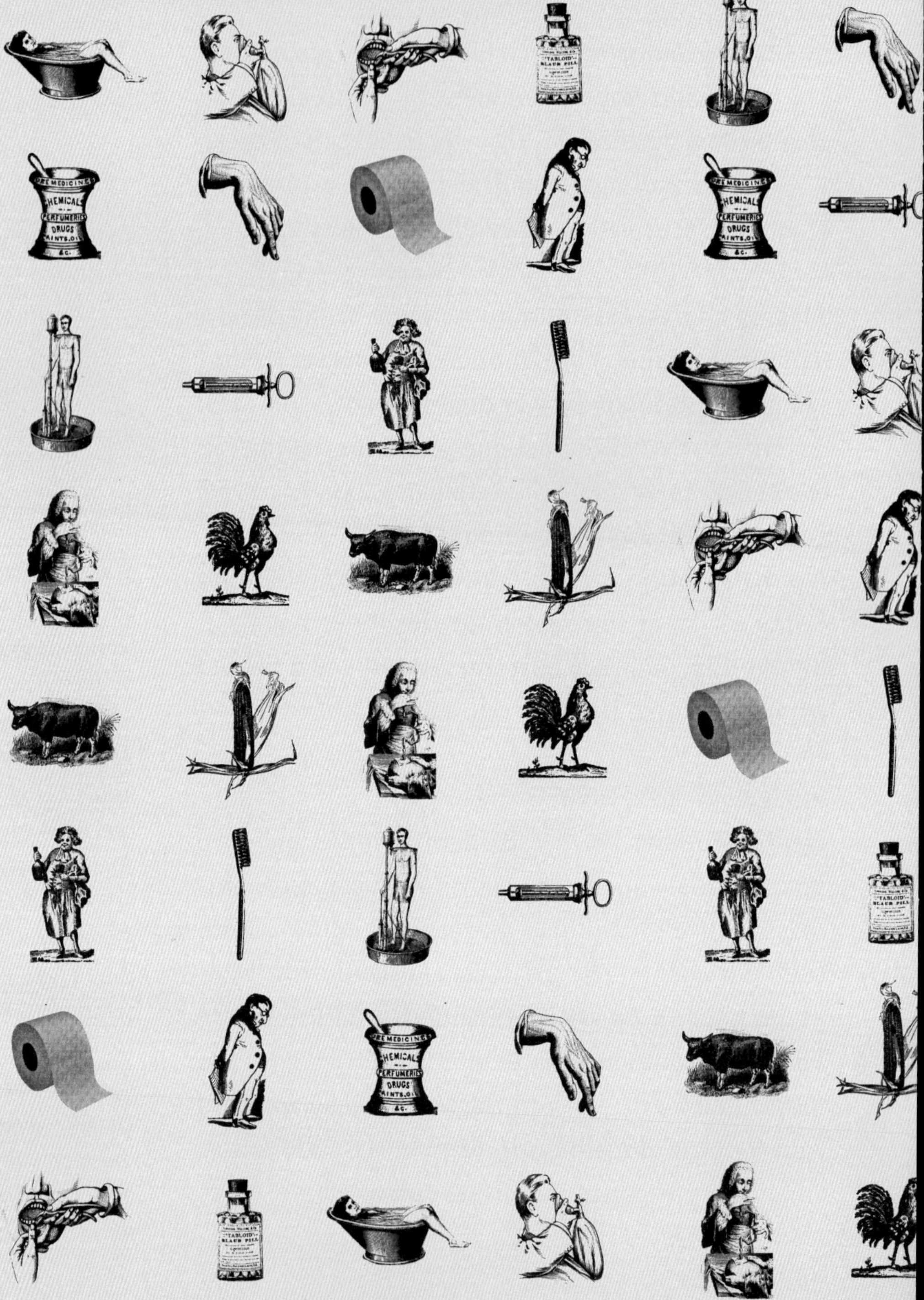
PERFUMERIES
DRUGS
"TABLOID"
BLAUD PILL

SAÚDE E HIGIENE

Anestesia

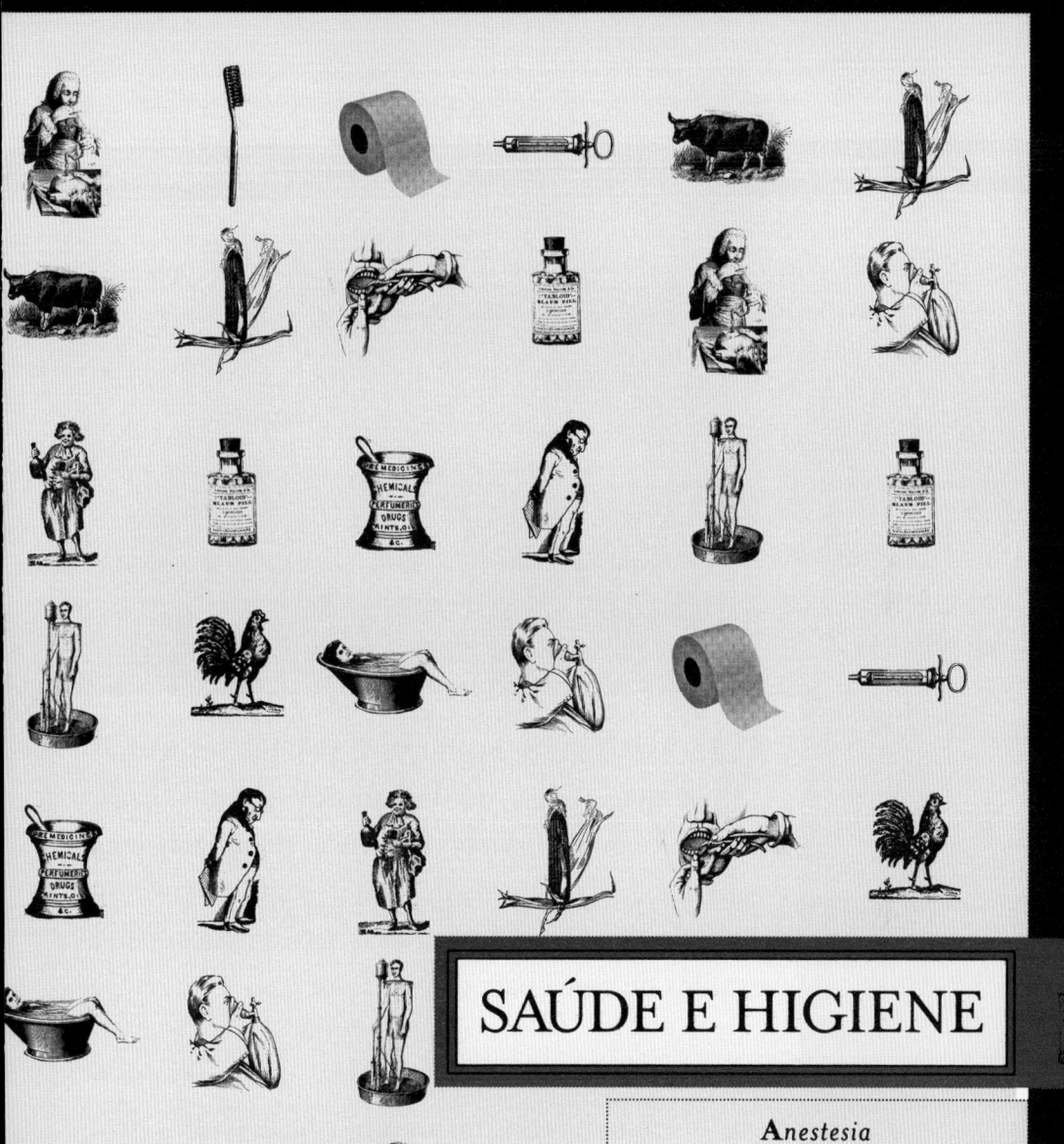

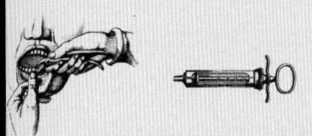

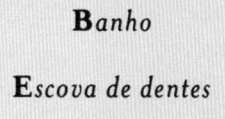

Banho

Escova de dentes

Papel higiênico

Remédios

COMO FAZÍAMOS SEM...
ANESTESIA

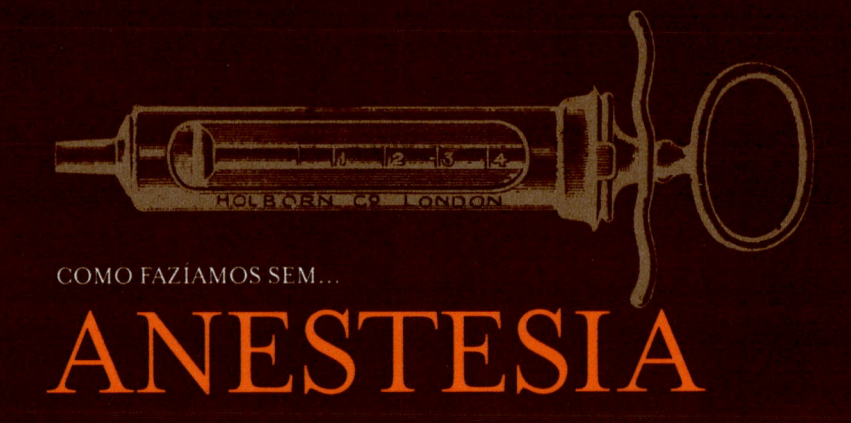

VISITAS ao dentista podem ser chatas de doer – aliás, de doer muito algumas vezes. Mas já foram bem piores. No lugar de uma seringa com anestesia, garotos de outras gerações tiveram de enfrentar plantas venenosas, gases tóxicos e até estados de coma para driblar a dor.

A ideia do estado de coma foi dos médicos assírios, que viveram há três mil anos na região onde hoje é o Iraque. Eles apertavam a artéria que leva sangue para o cérebro do paciente, fazendo com que ele entrasse num estado de coma temporário, quando era operado. O problema é que nem sempre o pobre coitado voltava do coma.

Embebedar o paciente era uma das táticas para evitar a dor.

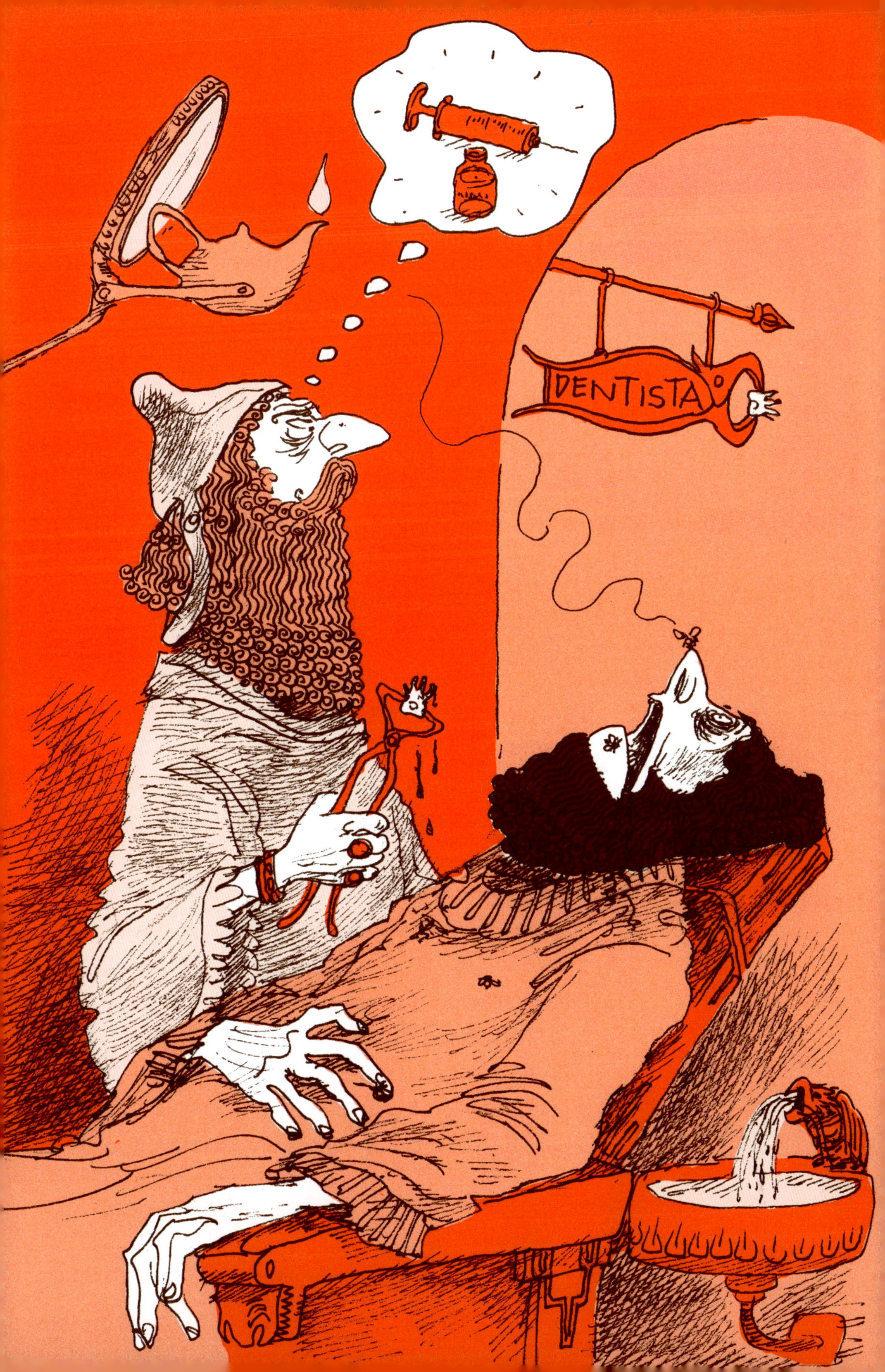
DENTISTA

Na Grécia Antiga, havia duas estratégias para tratar a dor: embebedar o paciente com vinho (um procedimento que devia até agradar alguns doentes) ou usar plantas com propriedades anestésicas, como a papoula (de onde se tira o ópio), a *Cannabis* (de onde se extrai a maconha) e o meimendro. No século 4 a.C., o médico grego Hipócrates, considerado o pai da medicina moderna, usava o que ele chamou de "esponja soporífera": uma esponja embebida numa mistura de ópio e mandrágora, que rapidinho colocava os pacientes a nocaute. Para reanimar o coitado, usava-se outra esponja, dessa vez embebida em vinagre.

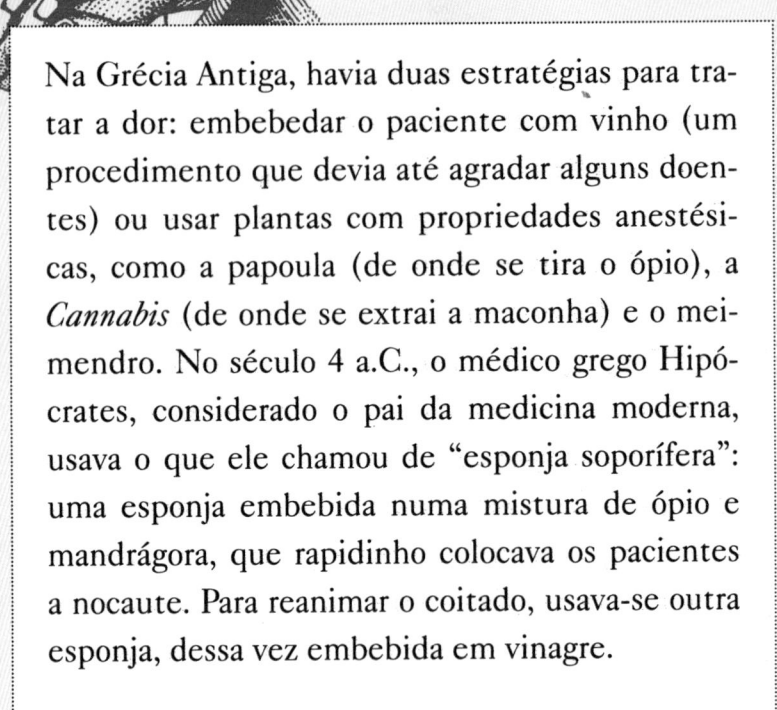

Já o termo anestesia (do grego, *an*, sem; *esthesia*, sensibilidade) só surgiu no ano 50, quando Dioscórides, que fazia diversas pesquisas com plantas, detalhou as propriedades da mandrágora (um tubérculo parecido com a batata) e descobriu que a planta contém uma substância chamada hioscina, que possui efeitos anestésicos.

Mas nem só de plantas viviam os doentes. No século XVI, o médico francês Ambroise Pare usava gelo ou neve para congelar as partes do corpo do paciente antes de operá-lo. O problema é que nenhum desses procedimentos era eficiente a ponto de extinguir completamente a dor. Assim, cirurgias só eram realizadas se fossem absolutamente necessárias – e, em geral, os doentes tinham de ser amarrados às macas.

A situação só mudou em 1844, e tudo por causa de umas risadas. O dentista americano Horace Wells estava em uma palestra sobre os efeitos do óxido nitroso (que é o nome oficial do gás hilariante) quando um dos convidados que testou o gás começou a correr feito louco pelo salão. Suas pernas ficaram ensanguentadas por causa das batidas entre os bancos, mas o rapaz não sentiu nada.

No dia seguinte, Wells sentou em sua cadeira, inalou o gás e extraiu o próprio molar. Além de não ter sentido dor, ele conta que teve uma ótima sensação de euforia. Certo de seu sucesso, Wells decidiu fazer uma apresentação para alguns colegas médicos. Infelizmente, ele errou a dose de óxido nitroso e o paciente gritou de dor.

Dois anos depois, um amigo dele, Thomas Morton, resolveu repetir a *performance*, mas trocou o gás hilariante por um mais poderoso: o éter. O paciente teve seu pescoço operado na frente de uma comissão julgadora. E não sentiu nadinha.

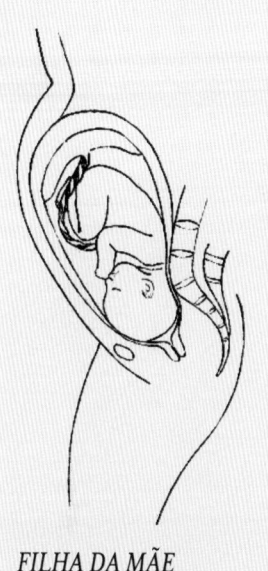

FILHA DA MÃE
No século XIX, o escocês James Young Simpson foi um dos primeiros médicos a usar gás clorofórmio (que hoje sabemos ser tóxico) para fazer um parto. Os cristãos mais fervorosos, que acreditavam que as dores do parto eram uma recomendação de Deus, reclamaram. Já a mãe da criança ficou muito agradecida. Tão agradecida que batizou a menina de Anestesia.

COMO FAZÍAMOS SEM...
BANHO

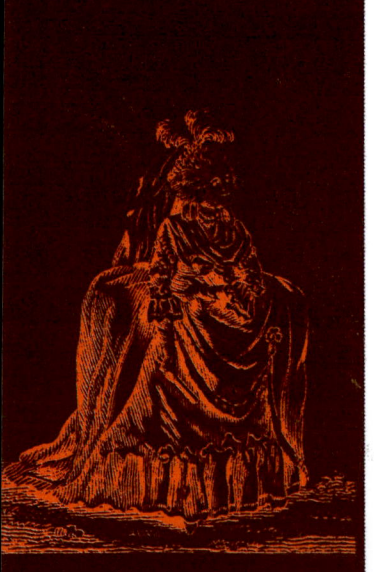

Os nobres tomavam banho uma vez por ano!

PR O V A de que não são exatamente os tempos, mas o caráter de cada povo que determina as tradições, é o costume de tomar banho. Ou de não tomar. Os gregos e romanos, por exemplo, sempre foram adeptos da prática. Já os europeus, em pleno século XIX, fugiam da água como se ela fosse praga. Literalmente. É que como a água quente dilata os poros, os médicos europeus acreditavam que os banhos facilitavam a entrada de germes. Ou seja, fugir das banheiras era recomendado como uma medida de higiene. Outra crença dizia que a água amolecia o organismo e impedia o crescimento. Assim, crianças eram frequentemente impedidas de entrar no banho até certa idade.

SAÚDE E HIGIENE

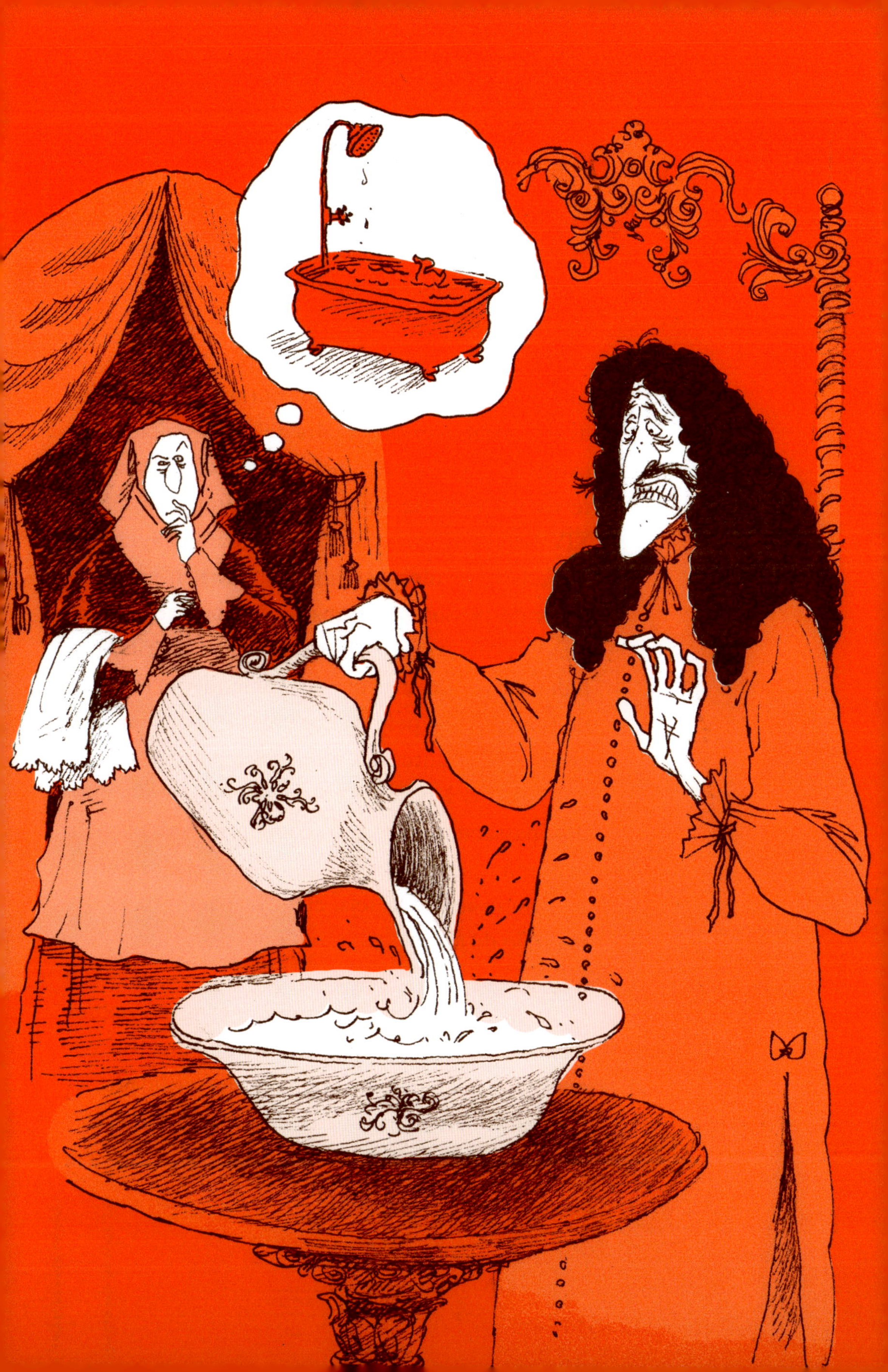

Mas nem adianta usar essas desculpas para driblar os gritos da sua mãe mandando você entrar no chuveiro. Hoje, sabemos que essas crenças não têm lógica alguma.

Aliás, a equação funciona ao contrário: banhos ajudam a evitar doenças. A falta deles é apontada, por exemplo, como o principal motivo para que a peste negra tenha se alastrado na Europa no século XIV. Na época, como ninguém se dava conta dessa obviedade, a culpa da epidemia, que matou 25 milhões de pessoas (um quarto da população europeia), recaiu sobre leprosos e judeus. No caso dos judeus, há quem diga que a recomendação religiosa de tomar banho pelo menos uma vez por semana e lavar as mãos antes das refeições mantinha-os menos sujeitos à peste. Como não eram contaminados, passaram a ser vistos como responsáveis pela disseminação e acabaram sendo queimados durante a Inquisição. Ou seja, eles escaparam da peste, mas não da morte.

O pavor da água era tanto que mesmo os nobres não lavavam o corpo todo mais do que uma vez por ano. Consideradas de pouquíssima utilidade, as banheiras nem faziam parte dos objetos presentes em uma casa. Para o banho anual, o costume era ir ao centro da cidade, onde havia salões específicos para isso. O rei francês Luís XIV, por exemplo, tomou seu primeiro (e um dos únicos) banho aos sete anos de idade.

Para não ter de entrar na água, os europeus deixavam uma tina com o líquido dentro de casa e lavavam algumas partes, como as mãos e o rosto. Já Luís XIV preferia usar um pedaço de algodão com vinho branco. Mas só para o rosto e mesmo assim a cada dois dias. Esses hábitos, ou melhor, essa falta de hábitos, dava aos palácios e às cidades um odor bastante peculiar, que os nobres tentavam disfarçar usando muito perfume.

No Brasil, o calor e a abundância de rios, cachoeiras e praias fazia com que os índios entrassem na água mais de dez vezes por dia. Isso era tão atípico para os europeus que quando Pedro Álvares Cabral chegou aqui, em 1500, escreveu a Portugal comentando o hábito estranhíssimo dos nativos.

Os banhos só começaram a fazer parte da rotina europeia no final do século XIX e, até hoje, as banheiras são preferidas aos chuveiros. Já no Brasil, a situação é inversa. As duchas são muito mais frequentes e banheiras são usadas mais para relaxar.

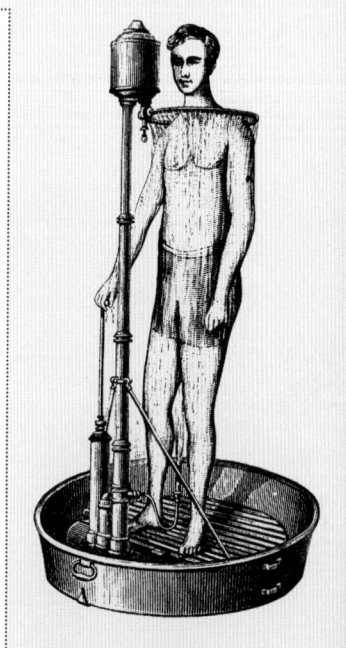

QUEM INVENTOU OS CHUVEIROS?
Os gregos, que pensavam em tudo, também pensaram nos chuveiros. Alguns desenhos do ano de 1330 a.C. já mostram mulheres se banhando sob uma ducha. Já o chuveiro moderno é obra do médico francês Maerry Delabost e foi criado para melhorar a higiene dos presos, em 1872.

COMO FAZÍAMOS SEM...
ESCOVA DE DENTES

NOSSOS antepassados até que foram rápidos para perceber a necessidade de limpar os dentes (também, não devia ser lá muito fácil disfarçar o bafo de ficar dias sem dar um trato na boca). A escova mais antiga de que se tem notícia foi encontrada numa tumba egípcia de 3000 a.C. Bem diferente das escovas de hoje, ela era um pequeno ramo de árvore, do tamanho de um lápis mais ou menos, e tinha a ponta desfiada até restarem apenas as fibras, formando uma espécie de vassourinha. Em geral, as pessoas escolhiam ramos de plantas aromáticas, assim, além de limpar os dentes, a escova improvisada servia para refrescar a boca e melhorar o hálito.

Uma única escova era compartilhada por toda a família.

SAÚDE E HIGIENE

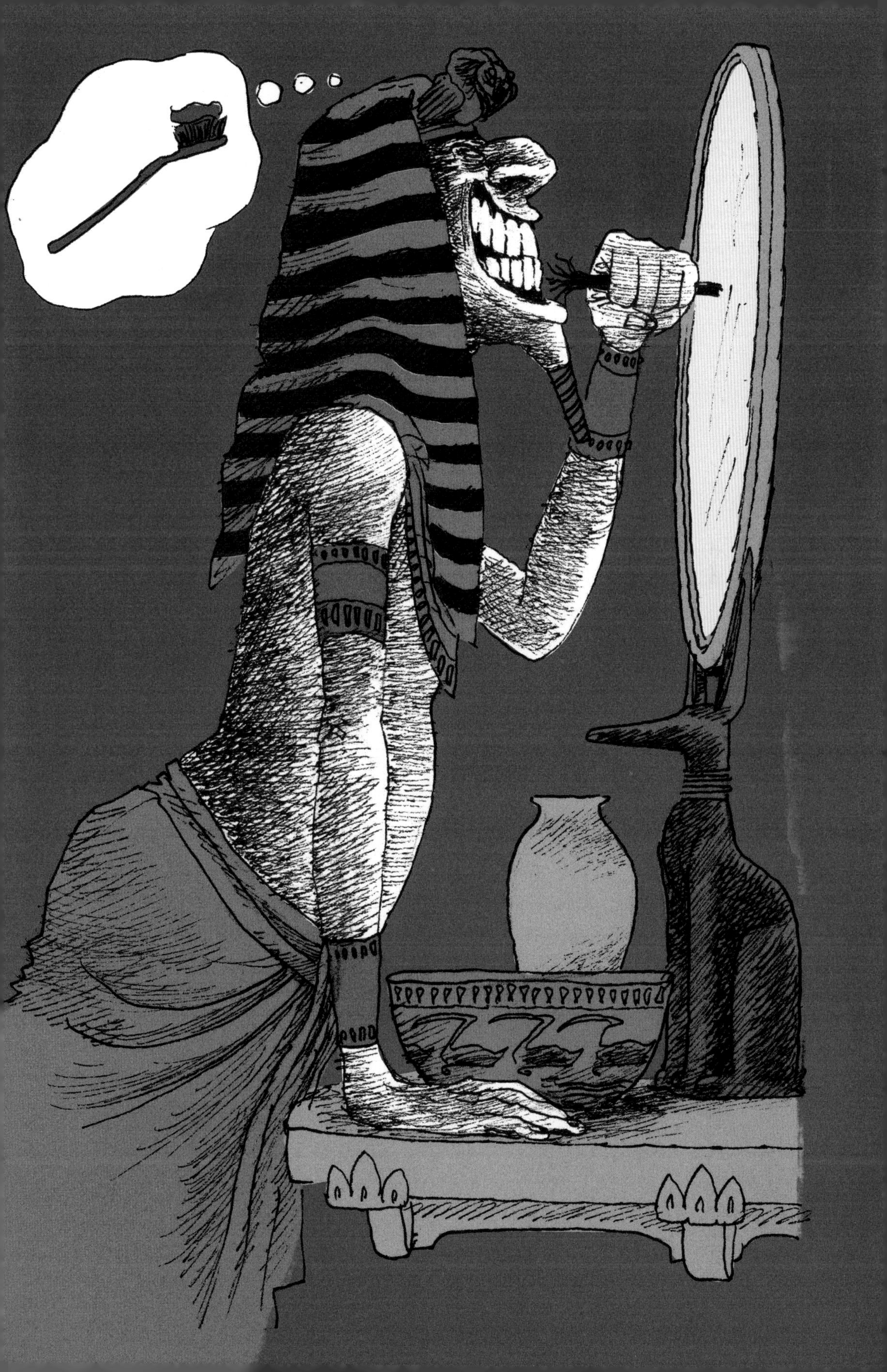

Alguns historiadores também apontam os egípcios como os primeiros a testar receitas de pasta de dentes. Registros antigos mostram que eles usavam uma mistura de pimenta, sal, folhas de menta e flor de íris na tentativa de espantar o bafo e deixar os dentes saudáveis.

Já a escova de cerdas só foi aparecer na China em torno de 1498. A haste era uma varinha feita com bambu ou com um pedaço de osso e as cerdas eram feitas com pelos de porco. Mais tarde, foram os cavalos que tiveram de ceder suas crinas para os nossos sorrisos brilhantes.

Foram esses modelos – feitos com pelos de animais – que chegaram à Europa, trazidos pelos mercadores chineses no século XVI. Apesar dos contratempos (elas machucavam a boca, já que as cerdas de pelo eram pontiagudas, e ainda causavam algumas doenças bucais, porque os pelos de animais juntavam umidade e mofavam), elas fizeram enorme sucesso e se tornaram um artigo caríssimo. Tão caro que o mais comum é que houvesse apenas uma única escova para toda a família. Ou seja, se alguém tinha algum tipo de problema bucal, ele logo se espalhava entre todos da casa (isso é que eu chamo de família unida!).

Nessa época, os europeus não usavam nenhum tipo de pasta. A escova era apenas molhada e esfregada contra os dentes (um expediente que você já deve ter utilizado algumas vezes na vida). Foi só no século XIX que os primeiros dentifrícios começaram a ser testados no Ocidente. As receitas levavam giz, tijolo, sal e carvão. Mais tarde, pesquisadores usaram sabão, que hoje foi substituído por detergentes sintéticos (com um nome desses dá até medo de colocar na boca, né?).

Mas nem a pasta nem a escova eram populares até o século XX. Em 1890, jornais londrinos aconselhavam que as pessoas mastigassem ramos ou raízes de alcaçuz e pedaços de cana-de-açúcar para manter os dentes limpos. "Se usar palito de dente, prefira os espinhos naturais ou as talas de bambu. Não use alfinetes, agulhas ou metais de qualquer tipo", recomendavam os artigos.

A escova com cerdas de náilon, como as de hoje, foi criada em 1938, nos Estados Unidos, e se espalhou pelo mundo. Certo? Bem, é isso que esperamos, mas uma pesquisa realizada pelo Ministério da Saúde em 1997 mostrou que metade da população brasileira na época, cerca de 85 milhões de pessoas, nem tinha escova de dentes.

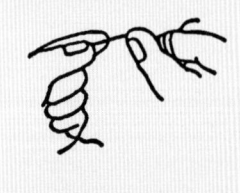

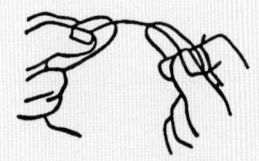

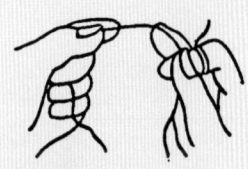

E SEM FIO DENTAL?
Arqueólogos já encontraram corpos ancestrais que continham restos de fios entre os dentes, o que prova que a invenção é muito antiga. Mas foi o dentista americano Levy Spear Parmly quem fez com que o fio dental entrasse para a lista de necessidades do mundo moderno. Ele recomendava o uso de um pedaço de seda entre os dentes para seus pacientes.

COMO FAZÍAMOS SEM...
PAPEL HIGIÊNICO

V O C Ê conhece essa música? *"Jingle bell, Jingle bell* / acabou o papel / Não faz mal, não faz mal, / limpa com jornal."

Ela é uma paródia da música natalina americana, que tem uma mensagem bem diferente. Mas por que será que alguém teve a ideia de trocar as frases originais por outras tão... íntimas? Muito provavelmente porque, num dia de natal, enquanto escutava ao longe a musiquinha tradicional, esse alguém se viu dentro do banheiro e sem papel higiênico! E aí o jeito foi se limpar com jornal! O que pode ter sido uma exceção para o inventor da paródia, já foi regra no passado. Além das notícias impres-

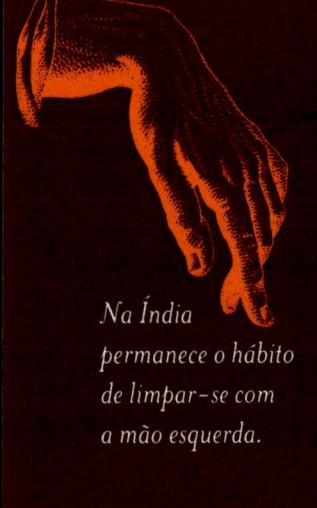

Na Índia permanece o hábito de limpar-se com a mão esquerda.

SAÚDE E HIGIENE

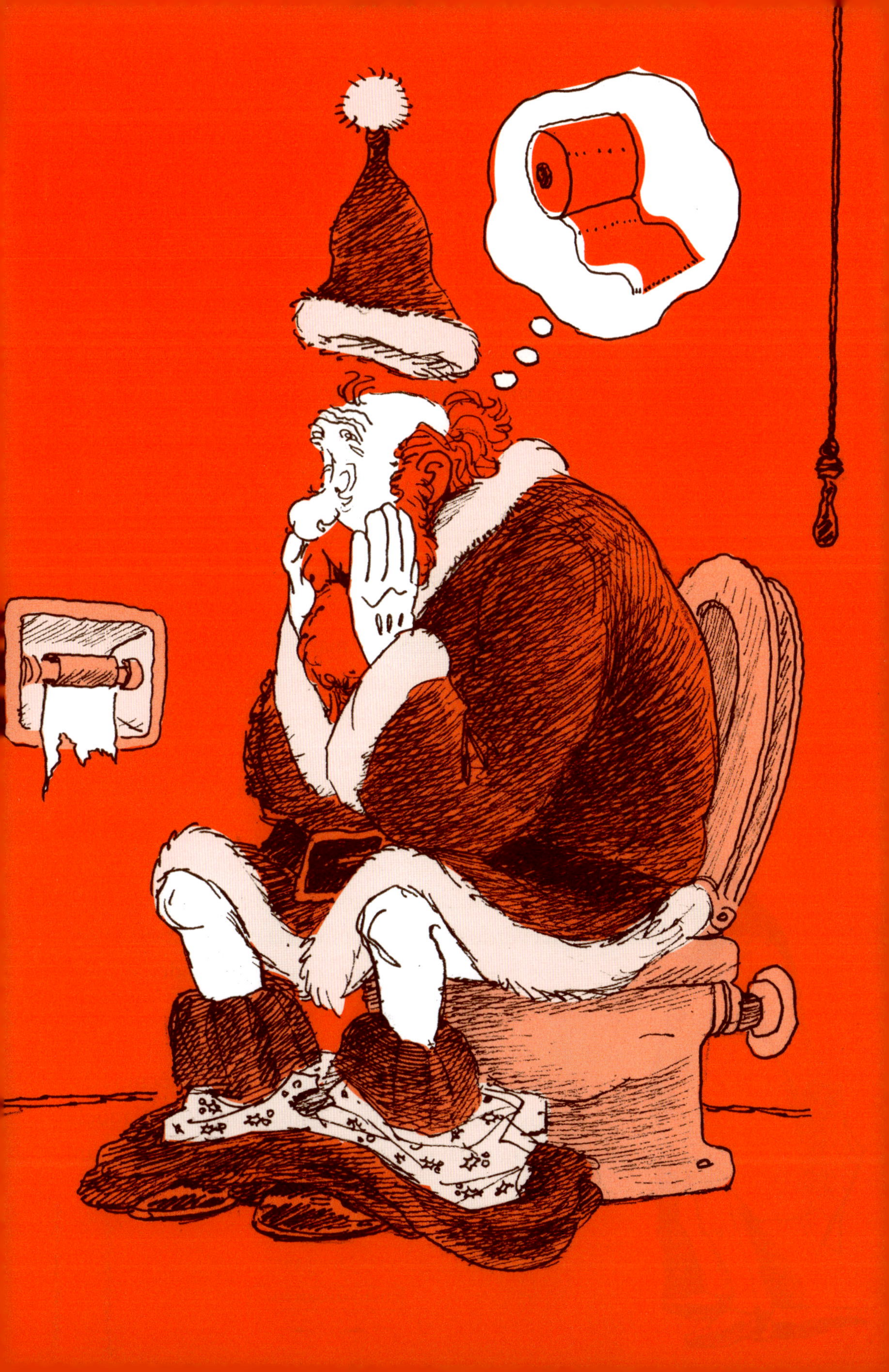

sas, seus bisavós tiveram de se virar com folhas, grama, areia ou a própria mão, um costume que, aliás, persiste na Índia. Lá, a tradição manda usar a mão esquerda para a tarefa e, por isso, indianos sempre se cumprimentam usando a mão direita. Nos países da Europa, neve e lã de carneiro eram bastante usados e, na Grécia Antiga, foi inventado um instrumento que consistia em uma esponja presa na ponta de uma vareta. Depois do uso, ele era guardado dentro de um recipiente que continha água com sal.

Já no Brasil, o material mais comum na hora de fazer a faxina traseira era a palha de milho. De preferência as palhas que ainda estavam verdes, já que elas eram bem mais macias do que as palhas maduras, que estavam secas e, portanto, ásperas.

Se você está imaginando que isso acontecia em um tempo muuuuito antigo, engana-se. O costume da palha verde era bem comum na cidade de São Paulo nos anos 1950 – e, para falar a verdade, ainda é usado nas regiões mais rurais do país.

Já os reis usam papel higiênico desde o século XIV. O artigo foi inventado na China em 1391. Naquela época não havia o rolo e os chineses produziram

720 mil folhas de papel para uso exclusivo da corte. Na Europa, a onda eram as toalhinhas higiênicas. Como eram caras, tê-las ou não media o poder entre a nobreza europeia. A frescura era tanta durante o século XVII que cada membro da corte escolhia pessoalmente o material de seus "papéis" higiênicos. O rei francês Luís XIV, o mesmo que não curtia tomar banhos, era fã de pequenas toalhinhas de lã, que não machucavam seu bumbum real. Já a Madame de Barry preferia as de renda, mais femininas. E o cardeal Richelieu gostava das de linho, mais rígidas.

Pacotes de papel higiênico em folhas apareceram em 1857. Chamados de "Papel Medicinal do Gayetty", eles vinham perfumados com babosa (nome popular da *Aloe vera*) e foram obra do nova-iorquino Joseph Gayetty. Cada uma das 500 folhas trazia impresso o sobrenome do inventor.

No fim do século XIX, papel higiênico passou a ser fabricado em escala industrial. Logo as fábricas perceberam que era mais fácil – e barato – produzi-los em rolos. Ninguém sabe, no entanto, qual foi a empresa precursora da ideia, já que, na época, nenhum empresário gostava de associar sua marca a um artigo tão... traseiro.

MACIO, MAS NEM TANTO

Apesar de ser um avanço em relação à palha de milho, o papel higiênico até a década de 1950 não era lá essas coisas. Nos Estados Unidos, uma propaganda de 1945 dizia o seguinte: "Papéis Higiênicos Northern. Os únicos sem lascas!". Imagine como eram terríveis os papéis da concorrência...

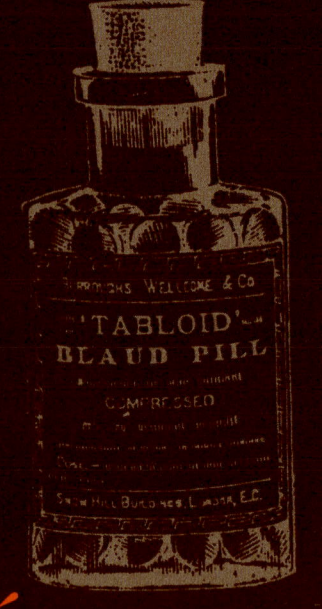

COMO FAZÍAMOS SEM...
REMÉDIOS

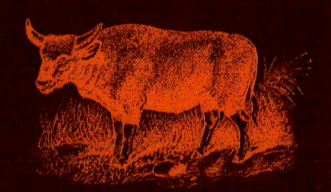

Excrementos de animais eram usados no tratamento de doenças.

E M 1826, uma tia de dom Pedro I estava com uma terrível dor no ouvido esquerdo. Muito afeiçoado a ela, o imperador decidiu que ele mesmo trataria da velha, "deitando-lhe as bichas".

Embora você tenha pensado em algo bem diferente, o que dom Pedro quis dizer é que ele ficaria responsável por aplicar sanguessugas sobre uma veia de sua tia. Isso mesmo: sanguessugas, aqueles bichinhos nojentos que já não têm serventia alguma para a medicina. Na época, acreditava-se que sangue impuro era responsável pela maioria das doenças, e que retirá-lo purificaria o corpo. A veia escolhida para o serviço não era um consenso:

SAÚDE E HIGIENE

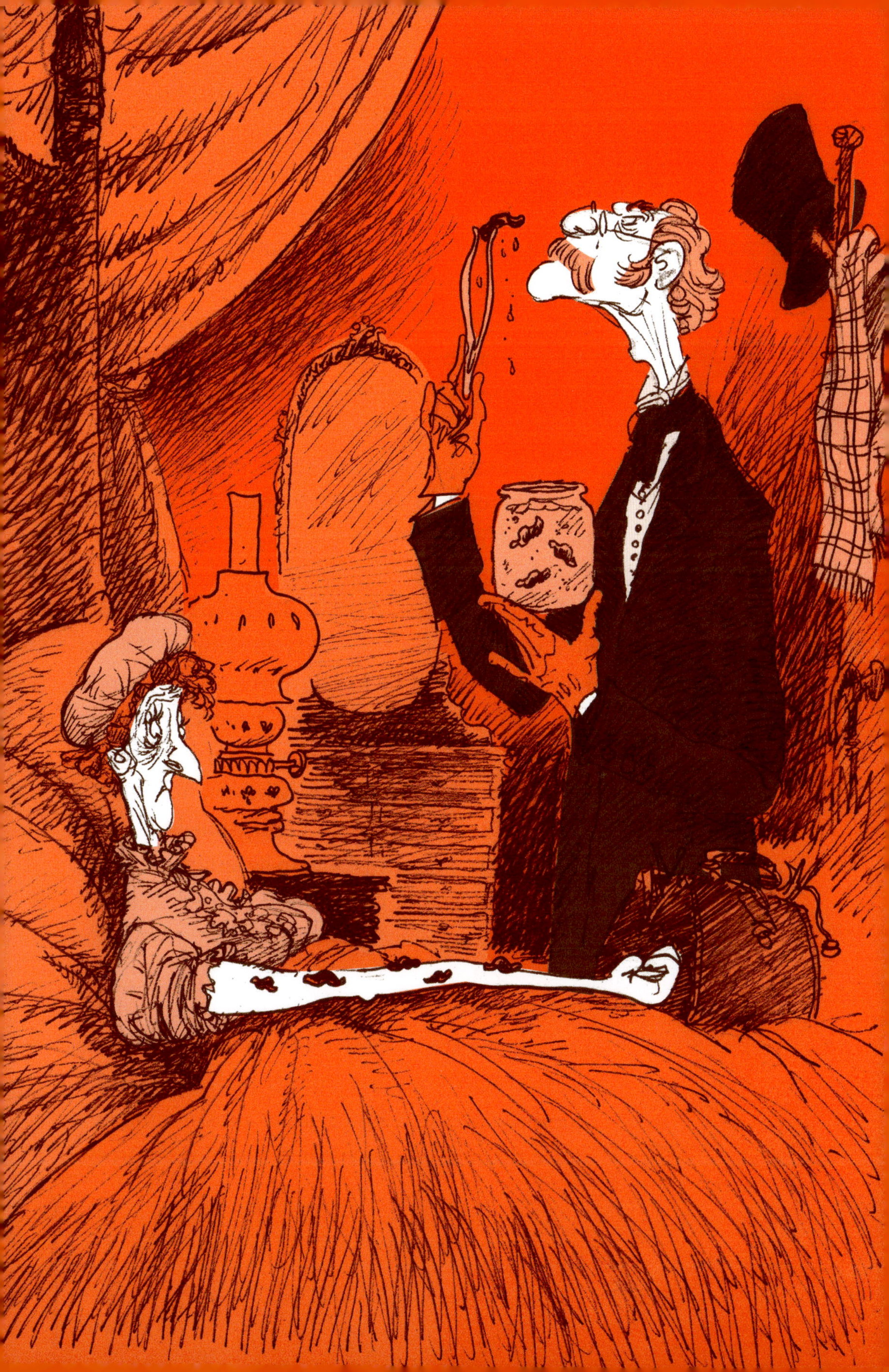

MELHOR QUE COMPUTADOR

Com uma história assim, não é de se estranhar que, em 1994, os americanos elegeram a aspirina como a invenção mais importante de todos os tempos (na frente até do computador). Com certeza, o comprimido é uma solução bem menos dolorosa para dor de cabeça do que a tal da trepanação (e não vá pensar bobagens!).

alguns médicos preferiam as do pescoço, outros as da perna, e outros ainda as do braço. Depois de selecionar a veia, bastava fazer um corte no local e colocar as "bichinhas" para sugar. O costume perdurou durante séculos na Europa e nas Américas. E era respeitadíssimo como procedimento médico. Tanto que, em 1500, o historiador francês André Thevet escreveu que esse procedimento deixava os enfermos "tão sãos e perfeitos, como se nunca tivessem ficado doentes".

Sanguessugas eram trazidas da Europa para o Brasil e sua venda era anunciada nos jornais. "Chegaram hoje três mil bichas de Portugal" ou "Vendemos e aplicamos bichas" eram manchetes comuns no Brasil Colônia. Os barbeiros eram os principais aplicadores. Alguns se especializavam no assun-to, tornando-se "sangradores" profissionais. A coisa era tão séria que, em 1836, um levantamento sobre profissões mostrou que o Brasil tinha sete sangradores contra apenas um dentista.

Além das sanguessugas, outras intervenções médicas comuns até os anos 1900 eram o clister (injeções de água no reto); a purga (beber algum óleo que promovesse a limpeza do intestino, ou seja, desse diarreia); e o sinapismo (uso de compressas com alguma papa sobre as costas ou o peito do doente). Como as papas usadas deviam estar quentes, era comum que causassem queimaduras.

É claro que as intenções dos médicos da época eram as melhores possíveis e esses tratamentos, que parecem superatrasados hoje em dia, eram vistos como modernidade pura até o século XIX. E não é para menos. Ao longo da história, os enfermos sofreram muito mais que incômodos ou queimaduras. No ano 5000 a.C., por exemplo, quem tinha enxaqueca (uma dor de cabeça fortíssima) ou epilepsia (uma doença que provoca convulsões e tremedeira) enfrentava a trepanação, uma cirurgia que consistia em fazer buracos no crânio usando uma pedra para libertar os espíritos ruins que tinham se alojado no corpo do doente.

Com o tempo os homens se tornaram melhor observadores e perceberam que havia causas naturais para a maior parte das doenças. Assim, desvencilharam a noção de enfermidade de Deus. Deixaram de culpar os espíritos por doenças e começaram a tratá-las como assunto mundano. Diversas plantas e até excrementos de animais foram usados até chegarmos às drogas sintéticas de hoje.

CHEIOS DE CUIDADOS

Apesar das técnicas precárias, doentes sempre tiveram as mesmas regalias e cuidados que têm hoje. Até os anos 1900, por exemplo, eles eram os únicos que podiam comer galinha — um alimento bem caro naqueles tempos. Canja era a receita clássica para tratar alguém que estivesse de cama. Algumas coisas não mudaram tanto assim, né?

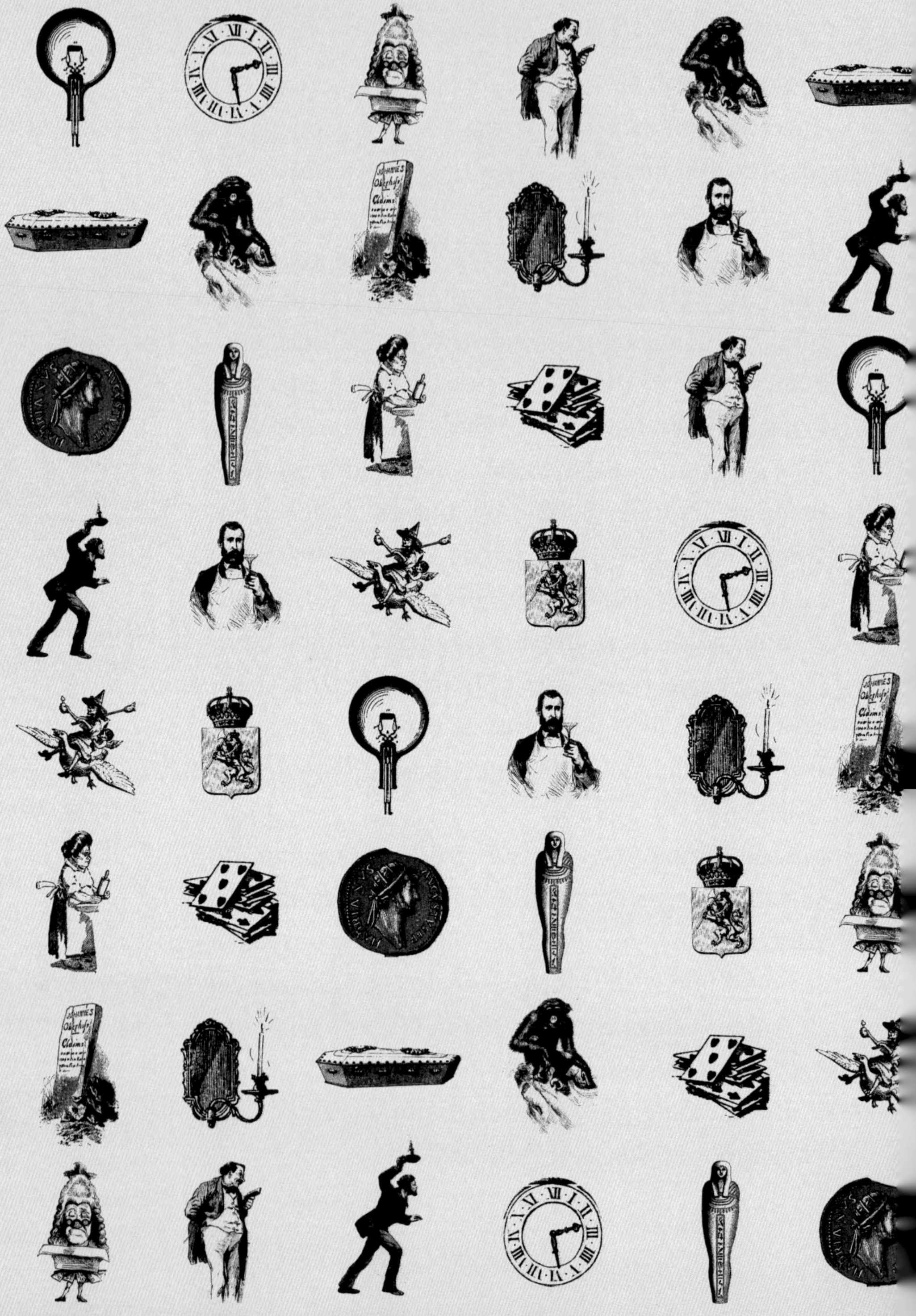

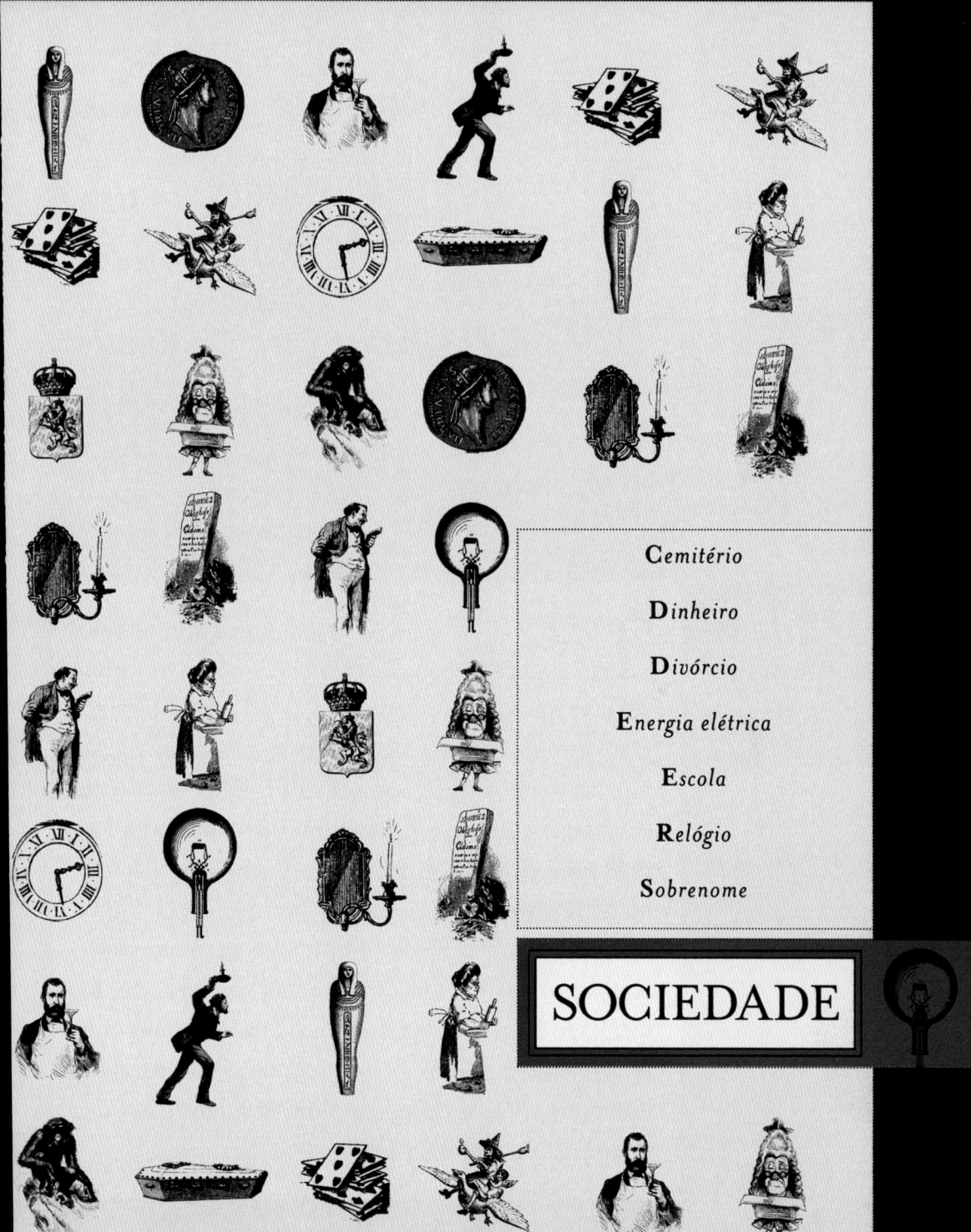

Cemitério

Dinheiro

Divórcio

Energia elétrica

Escola

Relógio

Sobrenome

SOCIEDADE

COMO FAZÍAMOS SEM...
CEMITÉRIO

TRISTES, sinistros e amedrontadores. Cemitérios não são os lugares mais confortáveis do mundo. Mas, acredite, a vida era pior sem eles. É que antes de alguém ter essa sacada – a de que os mortos deveriam ser enterrados em covas separadas, que ficassem em um terreno específico para esse fim –, o costume no Brasil era enterrar os corpos dentro das igrejas. Na maior parte das vezes, não havia caixões e ninguém se preocupava com a profundidade da cova ou com a marcação do local. Ou seja, debaixo dos pés de todo mundo que ia à missa, repousavam esqueletos e corpos apodrecendo. Não é difícil imaginar a quantidade de doenças que a prática ocasionava.

Algumas famílias guardavam o corpo dentro de casa.

SOCIEDADE

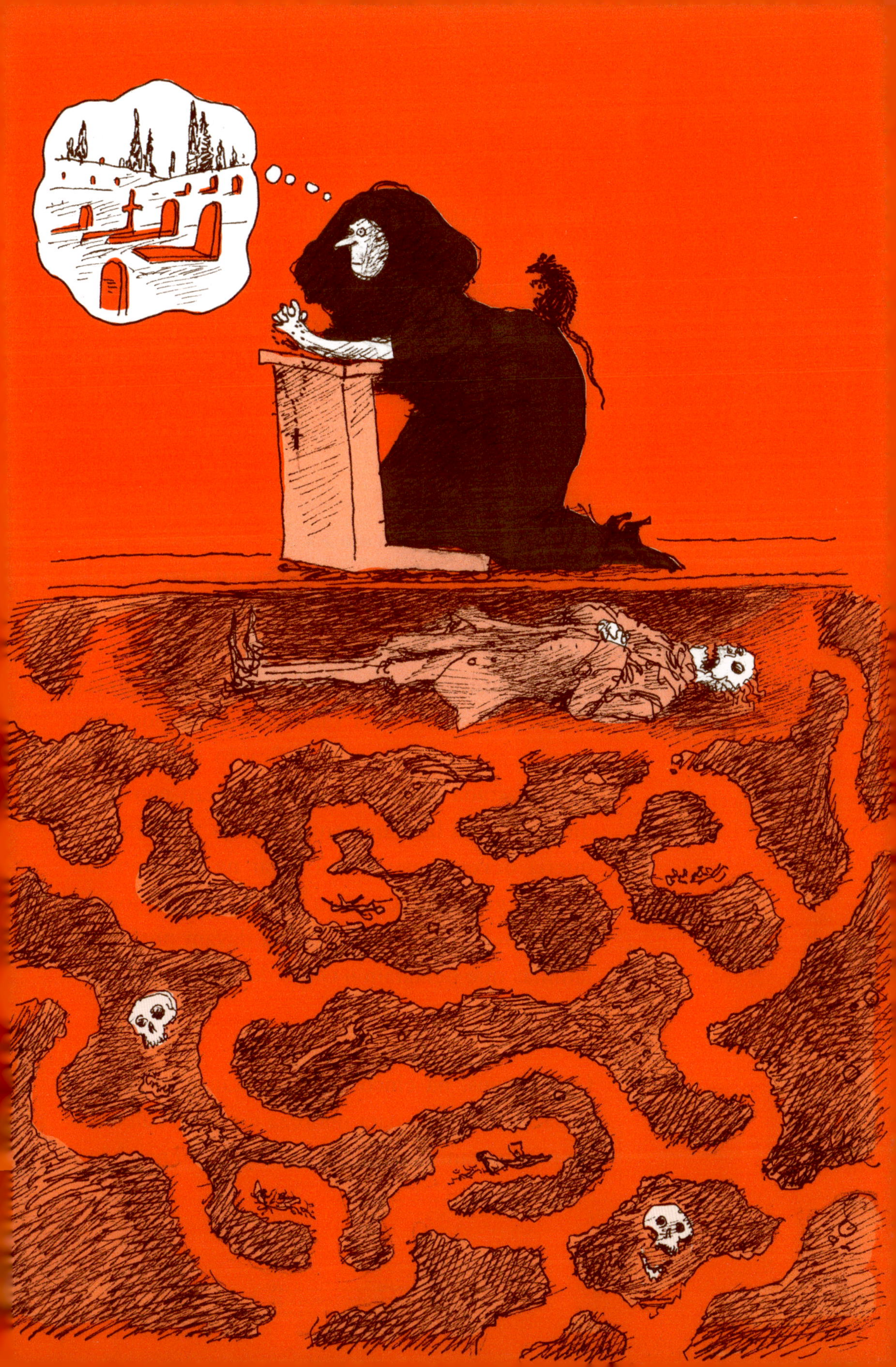

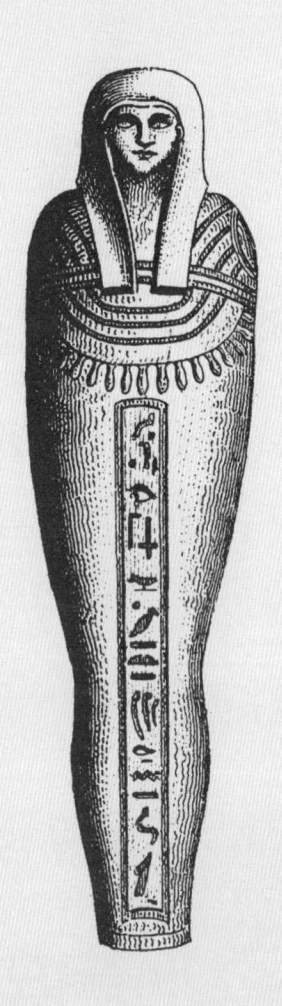

Foi só na metade do século XIX que as coisas começaram a mudar por aqui. Em 1850, a Câmara de São Paulo decidiu construir um cemitério municipal, que foi inaugurado oito anos depois: o cemitério da Consolação. Lá estão enterrados vários de nossos presidentes e personalidades brasileiras importantes, como o escritor Monteiro Lobato.

Na Europa, já havia locais próprios para enterrar os defuntos desde o século XVI. O destino do morto dependia, claro, de sua posição social (algo que não mudou tanto assim, já que terrenos em cemitérios podem custar vários milhares de reais). Nessa época, o cemitério dos ricos ficava próximo das igrejas. O dos pobres era uma vala onde os corpos eram jogados sem qualquer identificação e que ficava bem afastada da casa de Deus. Quem não tinha dinheiro para bancar o enterro, mas também não queria deixar o parente ir parar na vala comum, acabava guardando o corpo dentro de casa. Jornais londrinos de 1830 volta e meia davam notícia de famílias que deixaram o corpo do filho apodrecendo no quarto.

Os egípcios, há cinco mil anos, também tinham rituais diferentes para nobreza e plebe. Falecidos do povão eram colocados em um buraco no chão e cobertos com um manto de fibra natural, que impedia a proliferação de doenças. Já os faraós, eram mumificados e enterrados em pirâmides, com direito a grandes cerimônias cheias de pompas.

A comemoração fúnebre não tinha o objetivo de honrar o falecido, como acontece hoje, mas de garantir que ele entrasse no paraíso. Os egípcios acreditavam que de lá ele poderia abençoar seus súditos, principalmente aqueles que se esforçaram para que ele fosse devidamente bem recebido no mundo dos mortos. Uma crença da época dizia que o defunto que não gostasse da festa de enterro se vingaria, mantendo-se entre os vivos.

Na Índia, o costume era queimar os mortos. A viúva do defunto acabava indo para a fogueira também – voluntária ou involuntariamente. Esse costume hindu (o hinduísmo é a religião majoritária no país) é chamado de *sati* e acontecia porque o *status* de viúva era visto como impuro e vergonhoso. Ele só foi banido em 1829, mas há registros de que continuou acontecendo na Índia até 1956. Já os celtas, que também gostavam do churrasquinho de morto, eram menos radicais. Eles incineravam os corpos em fornos, guardavam o pó em urnas e não metiam a viúva no meio.

VELHO DE DAR DÓ
Historiadores acreditam que o primeiro rito funerário aconteceu há 300 mil anos. Foi quando o homem tomou conhecimento da existência inevitável da morte. O rito teria sido coletivo. Trinta e dois corpos foram enterrados num poço dentro de uma caverna, com 14 metros de profundidade.

COMO FAZÍAMOS SEM...
DINHEIRO

Sal, bois, conchas, pregos, chocolate, manteiga e até cartas de baralho já foram usados como dinheiro antes que a moeda fosse inventada.

ANTIGAMENTE, toda negociação era na base da troca. Se você era um sapateiro querendo comprar leite, por exemplo, precisava achar um leiteiro que estivesse a fim de comprar sapatos. É claro que isso dificultava as transações. Assim, muitas sociedades acabavam instituindo um produto que pudesse ser trocado por diversas coisas. Quem morava perto do mar, como vários povos africanos, optou pelas conchas. Os astecas, povo que vivia no México antes da colonização espanhola, usavam sementes de cacau. Os romanos usaram o sal (foi essa, inclusive, a origem da palavra salário); os noruegueses, bacalhau seco; e os povos da Ásia, que eram muito voltados para a cria-

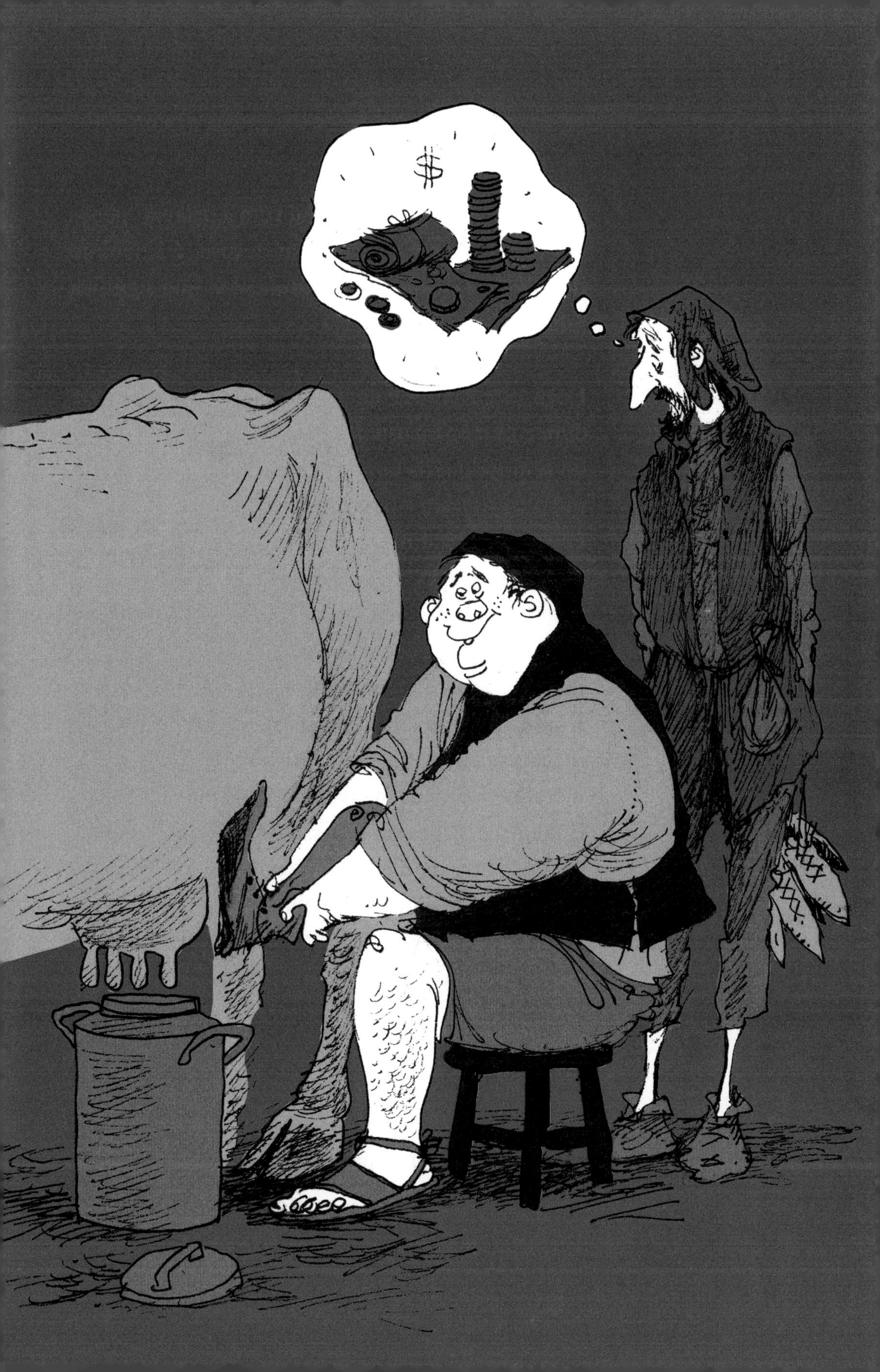

CADA UM COM A SUA
Nos Estados Unidos, entre 1837 e 1863, qualquer um podia lançar dinheiro no mercado. Isso, claro, só podia dar em caos. Em 1860, havia cerca de oito mil tipos de dinheiro circulando no país, emitidos por bancos, igrejas e até restaurantes. Quando algum desses estabelecimentos fechava, os portadores de suas notas ficavam a ver navios.

ção de gado, usaram bois (daí vem a palavra "pecúnia", que, apesar de estar em desuso, é sinônimo de dinheiro e tem raiz no latim *pecu*, que significa rebanho).

Logo, os governos começaram a fabricar moedas de ouro e prata para usar nas trocas. Afinal, todo mundo sempre queria ouro ou prata. As moedas valiam quanto pesavam e isso criava um transtorno, já que elas realmente tinham de ser colocadas na balança a cada transação.

Aliás, foi nessa época também que houve a primeira desvalorização monetária de que temos notícia. E isso lá no ano 1! Os imperadores romanos começaram a usar uma porcentagem de chumbo, um metal bem pesado, na fabricação da moeda. Alguns tinham a cara de pau de usar até 98% de chumbo e só o restante de metal precioso. Não foi à toa que o Império Romano acabou falindo.

O problema foi eliminado quando os governos passaram a fundir moedas de metais menos nobres, como ferro. Para dizer quanto valiam, colocavam sobre elas um selo com o valor. Para garantir aquele preço, os governantes eram obrigados a guardar no cofre a mesma quantidade de metais preciosos que indicassem no selo. Ou seja, se fizessem cem moedas com selos de cem gramas de ouro cada uma, tinham de guardar dez quilos de ouro no cofre. A isso dá-se o nome de lastro.

Em 1661 apareceu o primeiro papel-moeda, na Suécia. Foi um baita avanço, já que ele não pesava no bolso e era bem mais fácil de carregar que as moedas. Mas mesmo com a invenção circulando pelo mundo, em 1900, os soldados franceses que estavam nas colônias americanas tiveram de receber seus salários em cartas de baralho. É que os pagamentos estavam demorando para chegar à colônia e o governo não viu outro jeito a não ser entregar cartas (a matéria-prima mais fácil que tinham à mão) com uma assinatura oficial.

Apesar do lapso de organização do governo francês, o papel-moeda logo entrou em uso. O esquema para validar aquele papel era o mesmo da moeda: os governos continuavam tendo de guardar no cofre a quantidade de dinheiro que indicavam nas cédulas. Hoje isso mudou. O dinheiro não precisa mais ter lastro em ouro ou prata. Quem determina quanto vale a moeda de cada país é o mercado e a confiança que a sociedade e o resto do mundo têm na riqueza interna dos países.

POR QUE NÃO PODEMOS FABRICAR QUANTO DINHEIRO QUISERMOS?
É uma tentação, mas sair imprimindo dinheiro é um problema. Com mais moeda circulando, e o mesmo tanto de produtos sendo vendidos, o preço das coisas tende a subir. Afinal, há mais demanda. O nome disso é inflação, o inimigo número um de qualquer economia. O ideal é que as quantias de dinheiro e de produtos aumentem juntas.

COMO FAZÍAMOS SEM...
DIVÓRCIO

Vender a esposa era uma ótima saída para se livrar da patroa.

A TÉ 1977, casar no Brasil era uma aventura para sempre. Quem escolhesse mal ou mudasse de ideia no meio do caminho, que se contentasse com a separação (ou seja, em ir morar em outra casa. Mas casar de novo, com papel passado, era proibido por lei). O escritor Jorge Amado, por exemplo, se apaixonou por Zélia Gattai quando ela estava casada. Convenceu-a a largar o marido e foram viver juntos, mas esperaram quase trinta anos para o casamento oficial, em 1978.

Jorge e Zélia tiveram sorte. Se tivessem nascido 400 anos antes e nos Estados Unidos, teriam de passar a vida inteira separados. É que, além de proibir

SOCIEDADE

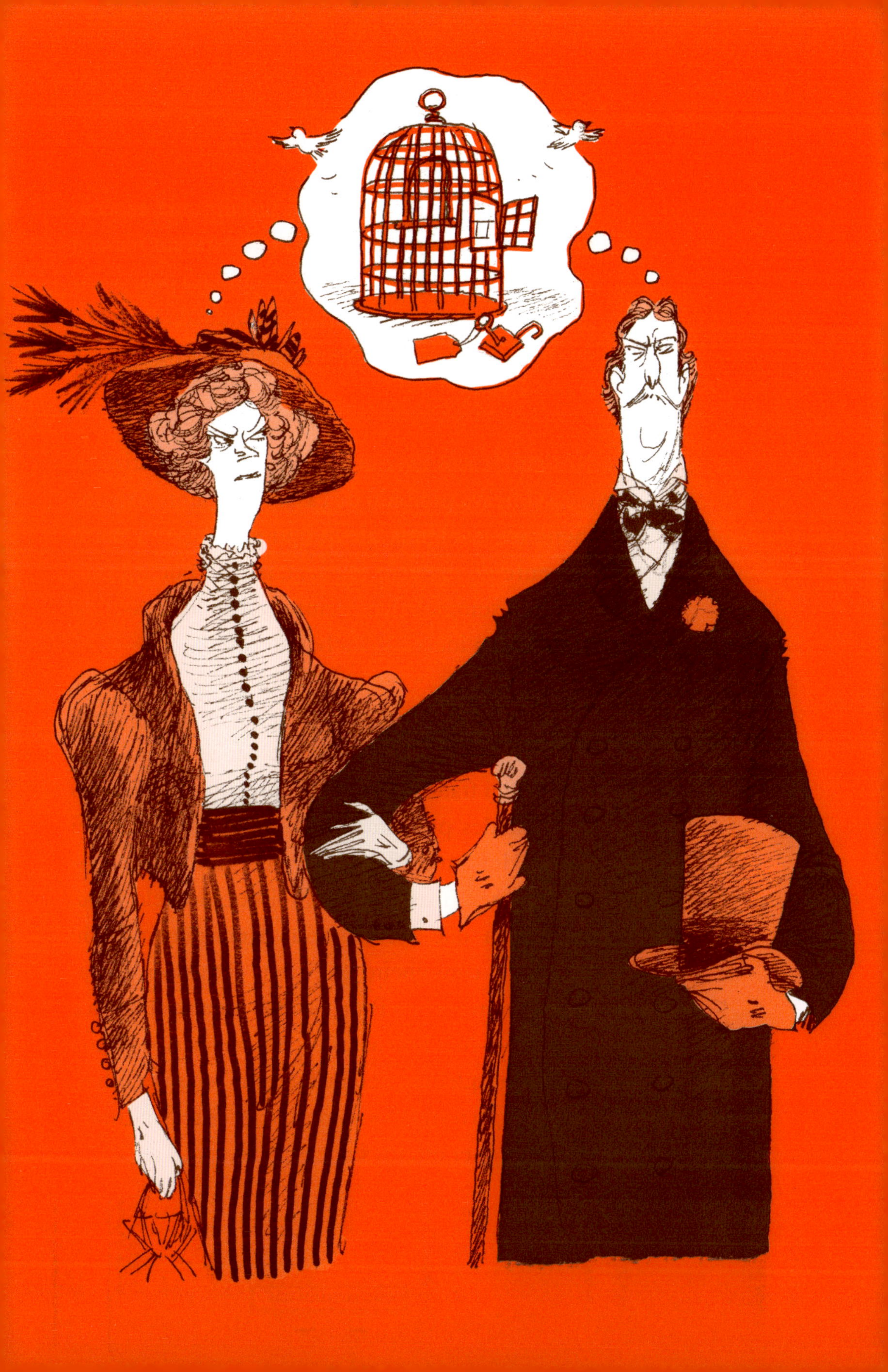

o divórcio, os padres também faziam uma espécie de ronda para verificar se os casais estavam mesmo vivendo juntos. Eles iam de casa em casa para pegar no flagra aqueles que tinham se mudado sozinhos ou que convenciam a esposa oficial a dividir a casa com a amante.

Nos raros casos em que a separação era autorizada, o casal ficava proibido de casar novamente. Alguns membros da Igreja até propuseram que a parte inocente do divórcio (ou seja, aquele que foi traído, por exemplo) tivesse autorização para casar de novo, mas a ideia não foi bem recebida.

As exceções ficavam por conta dos reis, que sempre davam um jeitinho de driblar as regras. Em 1499, o rei francês Luís XII conseguiu seu divórcio sem grandes problemas. Trinta anos depois, o rei inglês Henrique VIII achou que também ia conseguir o seu, mas o pedido foi negado pelo Papa. Você acha que ele desistiu? Henrique mandou prender o conselheiro que tinha fracassado na tarefa de convencer o Papa, fundou uma nova igreja e casou com Ana Bolena. A esposa oficial não gostou nada, mas quem se deu mal mesmo foram os filhos. A separação tornou-os automaticamente ilegítimos, sem qualquer direito sobre o trono.

Outro jeitinho usado para se livrar da esposa era vendê-la. No ano 1500, o comércio de esposas acontecia em plena praça pública. Com o passar do tempo, a atividade começou a ser mal vista e as negociações se davam apenas nas tabernas.

Foi só lá pelo ano 1600 que a decisão sobre separações deixou de ser do Papa. Países como a Inglaterra e a França autorizaram o pedido de divórcio junto ao governo, mas os motivos que levavam ao sim eram quase os mesmos da Igreja. Para piorar, o processo era lento e caríssimo. Um trabalhador que quisesse se livrar da esposa, chegava a passar cinco anos economizando. Enquanto isso, era obrigado a aturar a patroa dentro de casa.

Para as mulheres, só a traição masculina não bastava. Elas tinham de provar que houve adultério com agravante, que podia ser incesto (se o marido se engraçasse com uma das cunhadas ou até com a própria filha) ou bigamia (se ele estivesse mantendo duas famílias). Não é à toa que, entre 1670 e 1857, só houve quatro divórcios iniciados por mulheres na Inglaterra. O número total de divórcios também não era muito alto, mas historiadores garantem que não era por falta de vontade dos casais, mas pela lentidão e preço dos processos.

NEM TÃO PASSADO ASSIM
Se você acha todo esse assunto muito retrógrado, engana-se. O Chile, um país tão democrático e livre quanto o Brasil, só autorizou o divórcio em 2004. Agora só restam dois países democráticos no mundo que proíbem o procedimento: Malta e Filipinas.

COMO FAZÍAMOS SEM...
ENERGIA ELÉTRICA

As velas eram consideradas artigos de luxo.

> QUEM cuidava da iluminação eram os vaga--lumes. Não o inseto, é claro. Mas os profissionais responsáveis por acender e apagar os lampiões das cidades. Eles eram fundamentais até 1930, quando eletricidade ainda era artigo raro e, no lugar de lâmpadas, os postes usavam gás. Eles tinham de ser acendidos e apagados todos os dias por alguém e já eram uma invenção e tanto. Antes deles, a rotina de todo mundo durava só enquanto houvesse a luz do sol. No Brasil, onde os dias são sempre longos e claros, isso não era um problema tão grande, mas nos países mais frios, como a Inglaterra, isso significava ter apenas seis ou sete horas ativas durante o inverno.

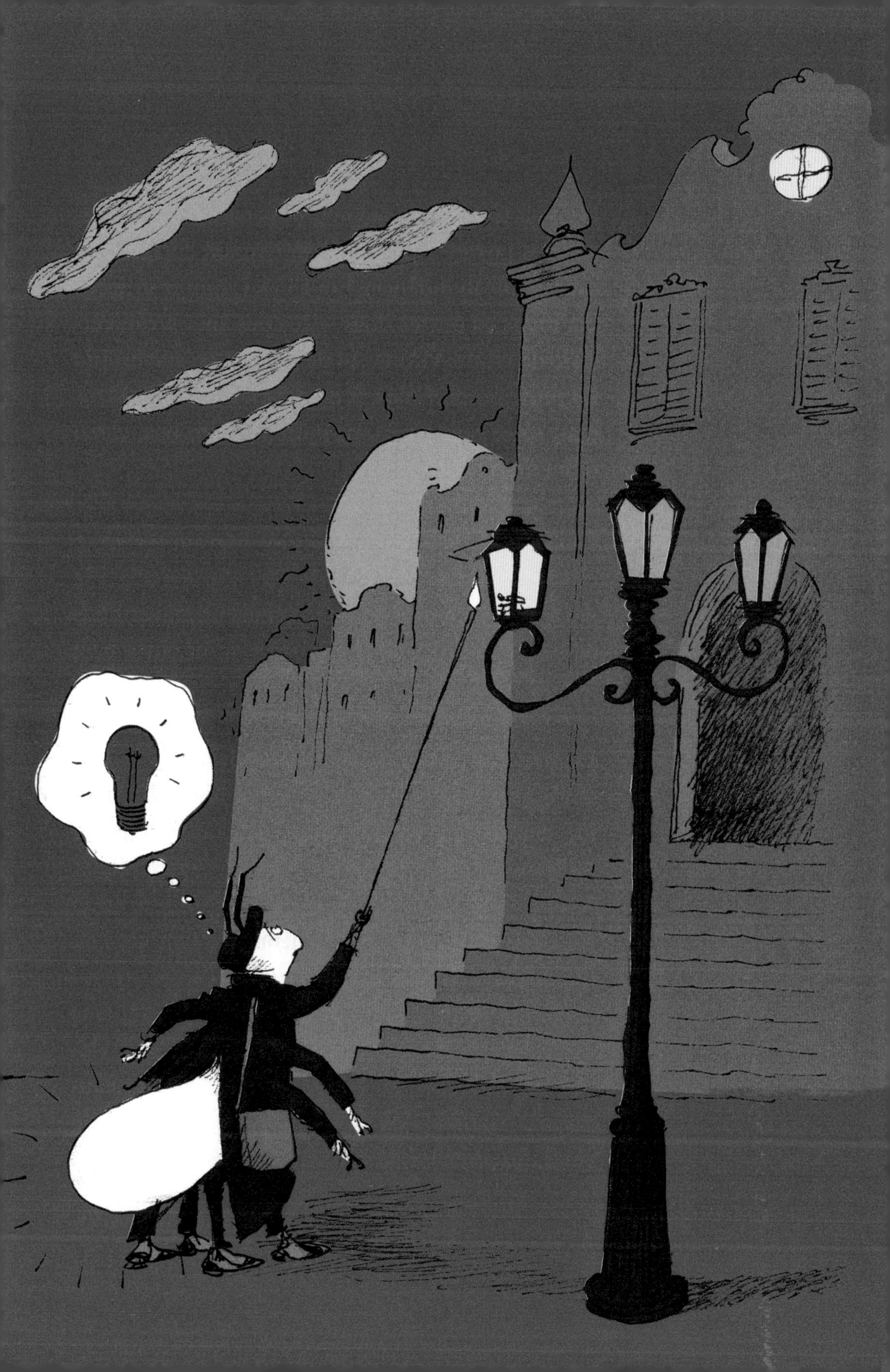

Os ingleses ficaram tão impressionados com a criação dos postes a gás, que não tiveram coragem de usá-los em abundância. Em 1830, Londres só acendia todos os postes duas vezes por ano: no aniversário da rainha Vitória, 24 de maio, e no aniversário do príncipe de Gales, 9 de novembro. Nos outros dias, só se houvesse uma notícia muito boa, como o fim de uma guerra.

Para sair de casa à noite, adultos usavam tochas, e crianças, uma espécie de lanterna improvisada. Ela era feita com uma lata de óleo cheia de gravetinhos com fogo e tinha de ser girada vez ou outra para que não apagasse.

Dentro das casas, as pessoas resolviam o problema do mesmo jeito que você faz hoje quando a luz acaba: ligavam lanternas e acendiam velas. A diferença é que as lanternas eram à base de querosene e as velas, feitas de sebo. Ou seja, nada funcionava tão bem quanto agora. Os lampiões de querosene eram tão fracos que às vezes era preciso riscar um fósforo para ter certeza de que a chama estava acesa. Já as velas, difíceis de conseguir, deviam ser usadas com economia. Só os ricos abusavam. Nos palácios, grandes castiçais, cheios de velas, faziam o trabalho das lâmpadas de hoje.

MULTIPLICAÇÃO DA CHAMA
Um truque usado antigamente para iluminar com mais eficiência era colocar uma vela perto de um espelho, que refletia a chama. O truque multiplica a luz e você consegue um efeito de muito mais velas.

Quando a luz elétrica se espalhou pelo país, os acendedores de lampião não foram os únicos a desaparecer. Também sumiram o fogão a lenha, o ferro a brasa, as lavadeiras nos chafarizes, o banho frio... A vida de todo mundo foi completamente transformada pela invenção do americano Thomas Edison. Morar, comer e cuidar da higiene se tornaram tarefas muito mais confortáveis.

Outra mudança importante com a chegada da energia foi a limpeza das casas. No Brasil, os quartos costumavam não ter janelas. Assim, ficavam na penumbra durante o dia e na escuridão durante a noite, deixando a sujeira pouco visível. Mas foi só acenderem uma lâmpada para verem o chiqueirinho em que eles estavam se transformando!

Como sempre, também houve quem reclamasse da eletricidade. As vaidosas madames inglesas não gostaram nem um pouco quando aquelas lâmpadas brilhantes revelaram sem dó as suas rugas e imperfeições. "A luz elétrica, tão boa para os papéis de parede e os móveis, nem sempre é conveniente para as mulheres", dizia uma propaganda na Inglaterra em 1901. O anúncio vendia sombrinhas, que as mulheres passaram a usar dentro das casas para esconder o rosto da tal luz elétrica!

QUEM TEM MEDO?
Com a falta de iluminação, bruxas e fantasmas apareciam com mais frequência. Pelo menos na imaginação das pessoas. Todo mundo adorava se reunir em volta de uma fogueira ou na varanda para ouvir histórias de terror. As crianças acabavam indo dormir morrendo de medo e naquele quarto superescuuuuuuro.

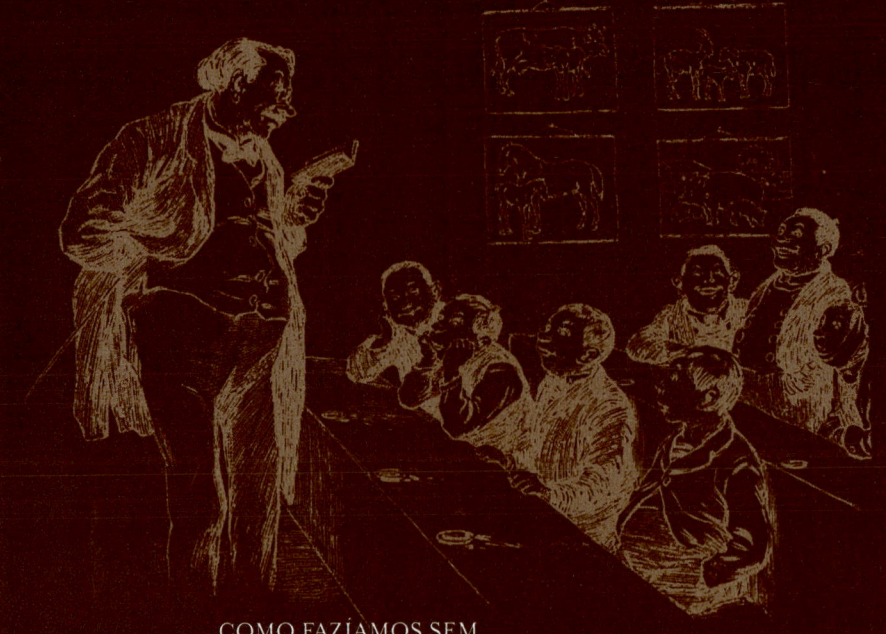

COMO FAZÍAMOS SEM...
ESCOLA

GAROTOS e garotas como você, que nasceram em 1780, na Inglaterra, não precisavam ir à escola. Eles também não tinham provas, professores nem tarefas para fazer quando chegavam em casa. Parece perfeito, certo? A contrapartida é que eles passavam todos os dias dentro de uma fábrica, trabalhando exatamente como os adultos faziam. E aí? Quer trocar?

Nessa época, não existiam escolas públicas e só as famílias muito ricas conseguiam pagar as particulares. Uma solução, proposta por um jornalista, foi abrir uma escola dominical. Ou seja, as crianças continuaram trabalhando durante a semana e,

Os nobres egípcios só aprendiam a oralidade. A escrita ficava por conta dos escribas.

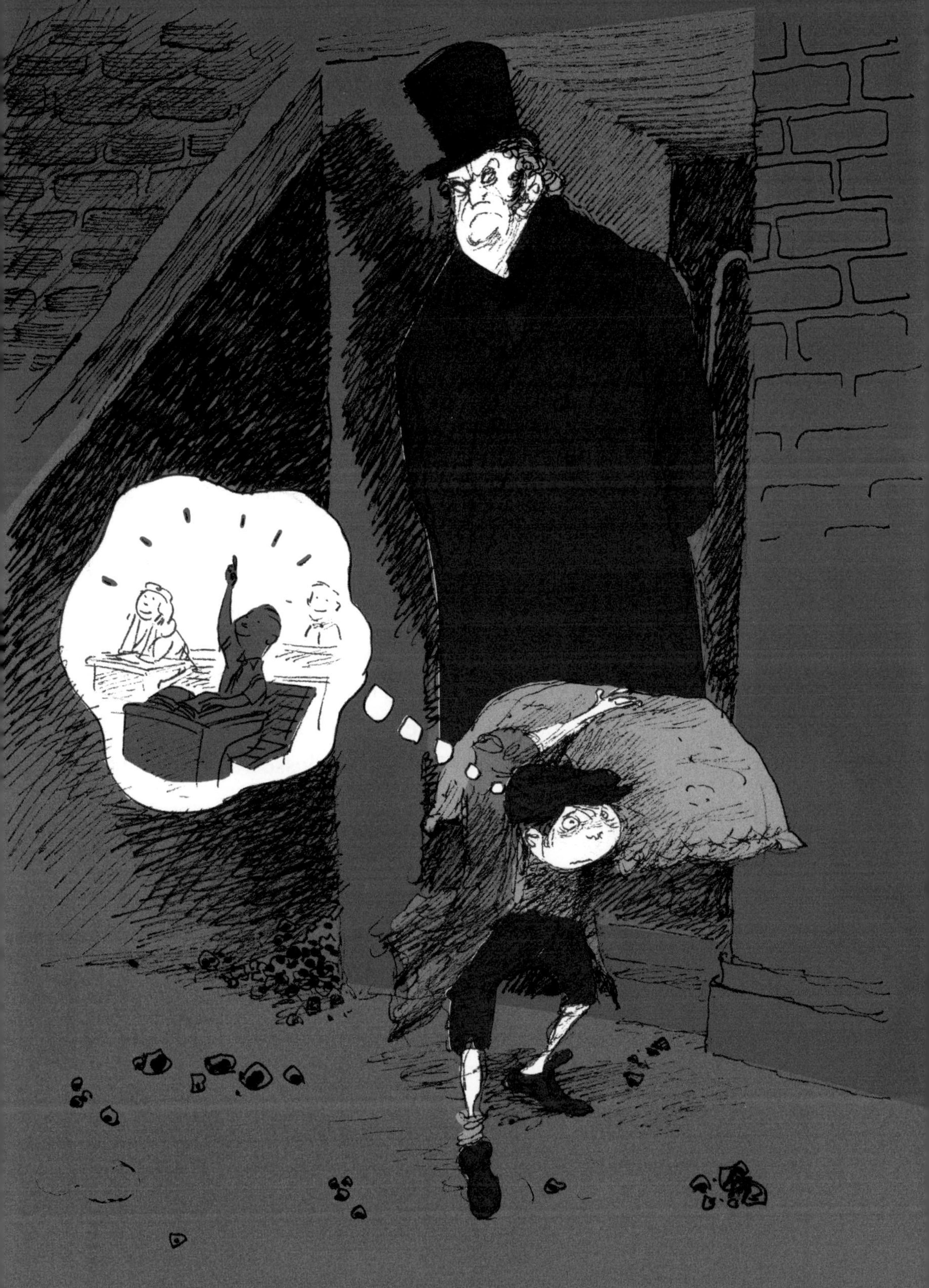

no domingo, em vez de irem para a rua brincar, tinham de ir para a escola aprender a ler e escrever. Essa situação só mudou depois de 1850, quando o ensino público se tornou obrigatório.

Até 1600, mesmo as escolas particulares eram bastante raras. As crianças passaram centenas de anos sendo ensinadas pelos pais ou por tutores, que eram contratados para ir até as casas. O conteúdo das aulas dependia da sociedade e da classe social. Os ricos podiam estudar música, literatura ou outras disciplinas mais teóricas. Mas as pessoas comuns ensinavam coisas práticas a seus filhos, para que eles pudessem ter uma atividade no futuro. Ah! E não tinha essa de escolher a atividade de acordo com a vocação, não. Mesmo que você odiasse madeira e tivesse um dom inegável para música, o mais provável é que aprendesse a ser marceneiro, se essa fosse a profissão de seu pai.

As disciplinas estudadas variavam muito de sociedade para sociedade. Matérias que hoje parecem fundamentais, como aprender a escrever, já foram vistas como desnecessárias. Os nobres egípcios, por exemplo, educavam os filhos para aprender a falar e achavam que a escrita era tarefa dos escribas (afinal, só servia para registrar atos oficiais).

A primeira vez que um governo interferiu na educação das crianças foi em Esparta, na Grécia. Aos sete anos, as crianças deviam ser encaminhadas a uma escola oficial, que as formava para a guerra. Já em Atenas, a educação era mais completa. Crianças aprendiam conhecimentos ligados às letras (ler e escrever), à música e ao esporte.

Na Europa, pais perderam seus postos para os padres durante a Idade Média e o ensino limitava-se às Escrituras religiosas. Nada de matemática, ciências ou geografia. As aulas, dentro dos mosteiros, eram oferecidas para meninos até os 15 anos de idade e não eram nada divertidas. Em geral, os garotos tinham de escutar professores falando durante horas, ler livros chatos e sem nenhuma ilustração, além de aguentar a palmatória quando faziam algo errado. Já as meninas ficavam em casa aprendendo a cozinhar, costurar, passar e todas as outras tarefas próprias das donas de casa.

Quando se tornou um dever do Estado, o ensino passou a ser baseado na ciência – e não mais na religião. Nasceu assim a escola como a conhecemos hoje: vários alunos nas salas, provas para testar conhecimento, notas, carteiras em fila, diplomas. Tudo para educar cada vez mais pessoas.

RELIGIÃO NA SALA DE AULA

O homem foi criado por Deus ou ele evoluiu a partir do macaco? Até pouco tempo, a resposta que se ouvia na sala de aula era uma só, a segunda. Mas hoje as coisas estão mudando. Alguns estados americanos estão obrigando professores a ensinar tanto a teoria científica quanto a religiosa. O que você acha dessa obrigação?

COMO FAZÍAMOS SEM...
RELÓGIO

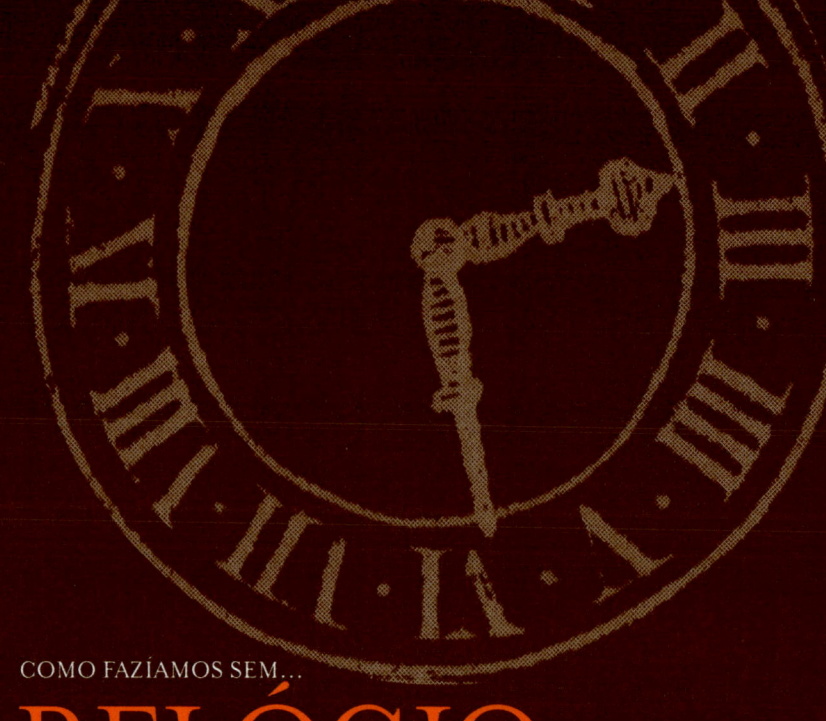

IMAGINE ter uma máquina do tempo para voltar ao passado. Agora imagine chegar ao ano 1000 a.C. e dar de cara com algum garoto lhe perguntando: "Que horas são?". Se você estivesse usando seu relógio, não hesitaria nem um pouco antes de dizer: "São quinze para as três". O problema é que, se você respondesse desse jeito a alguém daquela época, seria visto como um adivinho. Isso porque, apesar de já existirem relógios no ano 1000 a.C., eles não conseguiam precisar minutos. Muito menos saber que faltavam tantos minutos para uma determinada hora. Isso seria como alguém hoje dizer: faltam 15 minutos para aquele avião cair. E o avião cair mesmo!

A vela já foi usada como marcador de tempo.

SOCIEDADE

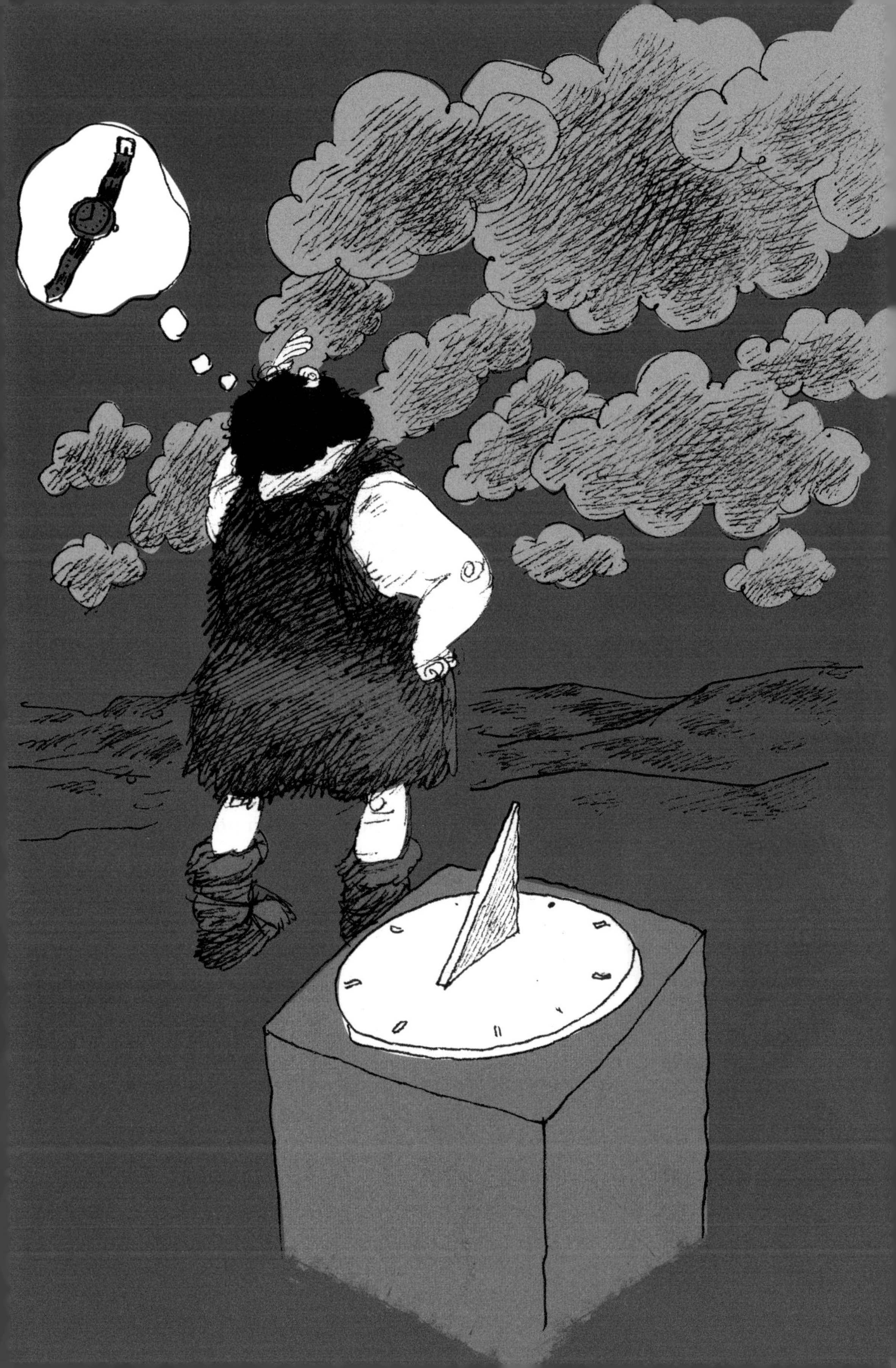

Mas não saber os minutos não era nenhum problema para os homens do passado. Durante séculos, era a observação da natureza e do céu que determinava o tempo. O calendário agrícola controlava as sociedades e, por isso, nada tinha um horário muito rígido. No lugar de marcar uma festa para o dia tal, a tal hora, as pessoas marcavam a festa para o terceiro dia da primavera, quando a lua aparecesse. E não se preocupavam com atrasos.

O primeiro relógio marcando as horas apareceu em 3000 a.C. (ou seja, dois mil anos antes do dia em que você chegou com a máquina do tempo). Mas, se não havia relógio, como o inventor sabia que horas eram? Para conseguir acertar os ponteiros, o jeito foi inaugurar o instrumento ao meio-dia, a única hora "visível" naquele tempo. É que nesse momento, quando o Sol está bem no meio do céu, as sombras não vão para nenhum lado. Elas ficam paradinhas, bem embaixo dos objetos.

Os babilônios dividiram então o resto da trajetória do Sol em 12 partes: seis para um lado, ou seja, seis partes (ou seis horas) antes do meio-dia; e seis para o outro. O resto do tempo, quando não havia sol, tinha o mesmo tamanho da parte com sol, e assim o dia foi dividido em 24 horas.

COMO FAZÍAMOS SEM...

No século IX, apareceu o "relógio" de vela: uma vela graduada (ou seja, marcada com tracinhos separados por um espaço que equivalia a determinado período de tempo) que mostrava quantas horas tinham se passado à medida que queimava.

Os relógios mecânicos apareceram no século XIII, mas foi só com a Revolução Industrial, no século XVIII, e com as jornadas de trabalho rígidas que relógios individuais passaram a ser fabricados. O modelo mais comum era o de bolso.

Já os relógios de pulso, tão populares hoje, eram mais usados por mulheres e têm registros históricos polêmicos. No Brasil, é comum as pessoas dizerem que ele foi idealizado por Santos Dumont e que o primeiro modelo apareceu em 1904. Mas há registros que apontam o matemático francês Blaise Pascal, que viveu entre 1623 e 1662, como inventor do modelo (ele teria usado um barbante para prender seu relógio de bolso ao pulso), e outros que dizem que a primeira menção oficial ao modelo é de 1790, em Genebra. Uma outra história cita 1571 como o ano da invenção desse modelo. Nessa data, o Conde de Leicester teria presenteado a rainha britânica Elizabeth I com um modelo feito de pedras preciosas.

DUMONT, DE NOVO!

Santos Dumont não inventou o relógio de pulso, mas ele tem o mérito de ter popularizado o modelo entre os homens. Quando pediu a seu amigo Louis Cartier para desenhar um relógio que o ajudasse a conferir o tempo de seus voos sem colocar a mão no bolso, o relojoeiro criou o modelo Cartier-Santos, que fez muito sucesso e é vendido até hoje.

COMO FAZÍAMOS SEM...
SOBRENOME

Características físicas e a profissão definiam os sobrenomes.

CAMILA Pitanga. Osmar Prado. Sérgio Reis. Você nunca achou estranho que os sobrenomes dessas personalidades sejam também palavras do dicionário? Pois antigamente todos os sobrenomes eram exatamente assim.

Até o século XII, as crianças recebiam apenas um nome quando nasciam. Por exemplo: Camila. Ou Osmar. Ou Sérgio. Mas, para facilitar a comunicação (afinal, não havia apenas uma pessoa com cada nome), o costume era se referir às pessoas usando alguma característica ou informação que pudesse facilitar o entendimento. Por exemplo, se a Camila morasse num terreno onde havia um pé de pitanga,

CAMILA

ao se referir a ela as pessoas poderiam dizer: Você conhece a Camila, do pé de pitanga? Aos poucos, para agilizar a comunicação, as pessoas já usavam o apelido junto ao nome e diziam, por exemplo, "Ah! Convide a Camila Pitanga". O mesmo acontecia com o Osmar, que morava no prado (que é um sinônimo de pasto), e com o Sérgio, cujos tios longínquos tinham sido reis (se você tinha uma característica tão importante não podia deixá-la passar em branco).

Os apelidos – que mais tarde se tornariam sobrenomes – também podiam se referir a características físicas ou de personalidade. Por exemplo, Renato Branco ou Marieta Severo (os antepassados da atriz não deviam ser muito calminhos). Outros ainda usavam nomes de animais para destacar traços do humor. É o caso de Leão. Também havia quem ficasse conhecido a partir do nome dos pais. Cláudia Rodrigues era a filha do Rodrigo e Manuel Fernandes era o filho do Fernando.

Como no século XII, quando essa moda pegou, ainda não tínhamos sido descobertos pelos portugueses, muitos dos nossos sobrenomes vieram junto com os conquistadores. É por isso que alguns dos exemplos que existem em todas as partes do

Brasil se referem a regiões de Portugal. É o caso de Varela, Aragão, Cardoso, Araújo, Abreu, Guimarães, Valadares e Barbosa.

A atividade da família também ajudava a batizá-la. É muito provável que o piloto de Fórmula 1 Michael Schumacher venha de uma família de sapateiros, já que Schumacher parece derivar de *shoe maker* (ou fazedor de sapatos, em inglês). Também é possível que a família Soalheiro, que assina este livro, não fosse muito ocupada durante o século XII. É que uma das definições para o sobrenome é "grupo de pessoas ociosas, que fica ao sol falando da vida alheia!". Parece que fofoqueiro já era profissão nessa época...

Na maior parte das vezes os nomes iam se modificando de acordo com o sotaque ou por problemas de grafia (quem registrava os bebês nessa época eram os padres e eles nem sempre eram muito bem alfabetizados). O cientista político brasileiro Bolívar Lamounier escreveu um livro para tentar descobrir de onde vem o sobrenome de sua família e acabou encontrando quatro hipóteses possíveis na grafia antiga de palavras francesas: moleiro (*moulinier*), moeda (*monnoier*), esmola (*aumonier*) e limoeiro (*limonier*).

BÊBADOS E ORGULHOSOS!
O que você acharia de se chamar Felipe Bêbado? Pois Sogtuugiinkhan, que significa Família dos Sete Bêbados, era um sobrenome comum na Mongólia até 1921. Naquele ano, uma ditadura tomou o poder e proibiu os sobrenomes no país. Só em 1990 as pessoas puderam escolher novos sobrenomes. O mais comum hoje é Borjigin, ou "mestre do lobo azul", nome do clã de Gêngis Khan, um herói nacional.

BIBLIOGRAFIA

Livros

ACKERKNECHT, Erwin Heinz.
A short history of medicine. Baltimore: The Johns Hopkins University Press, 1982.

BRITO, Marilza Elizardo. Org.
A vida cotidiana no Brasil nacional. Rio de Janeiro: Centro de Memória da Eletricidade, 2001.

CAMP, Sprague de.
A história secreta e curiosa das grandes invenções. Rio de Janeiro: Lidador, 1961.

CERTEAU, Michel de.
A invenção do cotidiano – morar/cozinhar. Petrópolis: Vozes, 1996.

CUNNINGTON, C. Willett.
The history of underclothes. Nova York: Dover Publications, 1992.

GIBLIN, James Cross.
From hand to mouth. Nova York: Harper Collins, 1987.

JARDÉ, Auguste.
A Grécia Antiga e a vida grega. São Paulo: EPV/EDUSP, 1976.

LAMOUNIER, Bolívar.
Conversa em família. São Paulo: Augurium, 2004.

PHILLIPS, Roderick.
Untyding the knot – a short history of divorce. Ontario: Brock University, 1991.

PRIORE, Mary Del.
Histórias do cotidiano. São Paulo: Contexto, 2001.

SARTI, Raffaella.
Vita di casa – abitare, mangiare, vestire nell' Europa moderna. Bari: Laterza, 2002.

Vários autores.
História da vida privada no Brasil (coleção). São Paulo: Companhia das Letras, 1998.

Textos

"A Comunicação Rural e suas formas de manifestação". Joseane Reis Duarte, Universidade da Região da Campanha, 2003.

"As lavadeiras faziam assim". Hildegardes Viana, revista eletrônica Jangada Brasil, edição nº 3, novembro de 1998.

Sites

www.extremeironing.com

www.historia-energia.com

www.theelevatormuseum.org

www.victorianlondon.org